KB082228

10월의 벚꽃처럼

10월의 벗꽃처럼

윤
젊은공원
정승헌
지선
장로사

삶의 목적은 성공이 아닌 성장이 되어야 한다고 흔히 말합니다. 성장, 오늘보다 더 나은 내가 되는 것. 단순하면서도 복잡한 이 문장이 한없이 마음을 무겁게 만들곤 했습니다. 나는 어제보다 더 나은 내가 되어 있는가? 라는 물음에 선뜻 대답하기가 망설여질 수 있을 거란 생각이 듭니다. '더 나아지는 것'이란 정의조차 모호하니까요. 그럼에도 확실한 건 변화는 두렵지만, 가치 있다는 것입니다. 두려움을 넘어선 용기는 우리를 한 뼘 더 자라나게 해줍니다. 궂은 날씨가 나쁜 날을 의미하지 않듯 우리 삶 속 가혹했던 일들이 의외로 나를 더 괜찮은 사람으로 만들어 준 값진 경험을 한 번쯤은 해보셨을 겁니다. 수도 없이 넘어져야 하는 인생의 진리 속에서 우린 일어나는 법을 스스로 깨우쳐야 하고 그건 나를 더 잘 알고 있어야 가능한 일이기도 합니다. 세상에 하나뿐인 나를 알아가는 과정 또한 용기가 필요한 일이라고 믿습니다. 내 안의 아픔과 상처조차 마주할 각오가 되었다는 뜻이니까요. 그렇게 최선을 다해 나를 넘어서려는 의지로 용기를 길러갈 때 우린 비로소 '성장'했다고 말할 수 있겠죠. 이 책의 제목은 '10월의 벚꽃처럼'입니다. 한 사람의 인생이 꽃을 피우는데 정해진 시기는 없다는 뜻과 각자의 방식으로 계절에 구애받지 않는 꽃을 피우길 바란다는 의미를 지니고 있습니다. 실제로 여름철 긴 장마와 태풍이 지나간 후 온도가 상승하면서 10월에도 벚꽃이 피는 일이 있다고 하니 허무맹랑한 비유는 아니라고 생각합니다. 그런 의미에서 이 책은 5개의 계절이 모여 각기 다른 꽃망울을 가지고 있습니다. 가을날에 피어난 벚꽃이 여전히 아름답듯이, 나이도 성별도 다른 이들에게서 피어난 이야기 역시 찬란하게 세상에 빛을 보았습니다. 인생의 시련과 예기치 못한 경험 등 그로 인해 굳어진 누군가의 이야기를 세심히 녹아냈으니 독자의 시선으로 그들의 열매와 꽃을 상상해보시길 바랍니다. 삶이 버겁게만 느껴지는 날, 이 책의 메시지와 더불어 모든 인생의 점들은 하나의 선으로 연결된다는 것을 부디 기억해 주세요. 오늘 내가 찍은 점 하나가 때론 삶의 허점처럼 보일지라도 꿋꿋이 찍어가다 보면 어느덧 하나의 윤택한 선을 이뤄내고 있을 것입니다. 잊지 마세요. 적절한 시기는 없습니다. 그러니 우리 얼마나 걸리든, 각기 다르게 피어나 봅시다. 10월의 벚꽃처럼요.

- 공동저자 中 황윤

차 례

베이시스트

윤

윤

2002년생으로, 국어교육과를 전공하는 대학생이다. 고등학교 시절부터 대학생인 지금까지 글쓰기에 흥미를 느끼고 창작시, 수필, 서평 쓰기 등 각종 글짓기 대회에 나가 수상한 이력이 있다. 다만, 소설 분야는 이번이 첫 도전이다. 책에 전혀 관심이 없다가 대학에 들어오면서 본격적인 독서 활동을 시작했다. 밴드 DAY6를 좋아하며 밴드 음악의 매력에 빠져 직접 드럼을 배웠다.

instagram: @ uunii_ck

blog: blog.naver.com/ghkddbs2484

email: ghkddbs2484@naver.com

사람은 저마다 기구한 사연을 품고 태연한 척 살아간다.

　새로 이사 온 동네로 아르바이트 면접을 보고 집으로 돌아오는 길.
한때 몸담고 있던 음악 활동을 접고 겨우 들어간 회사를 그만둔 지 어
언 2년이 흘렀다. 패기 좋게 이곳저곳을 전념하며 살아가던 나는, 삶
의 굴레 속에서 시간과 돈, 꿈을 차례로 잃었다. 그 후 마지막 남은 청
춘의 열정까지 현실에 모두 빼앗긴 뒤에야 비로소 빛바랜 내 청춘을
인정할 수 있었다. 그렇게 부모님 집에 기생하며 은둔 생활한 지 반년
이 넘어갔다. 하나밖에 없는 딸이 사회를 유령처럼 떠돌다 결국 집안
의 벌레로 전락한 꼴을 참지 못한 엄마는 날 이곳으로 내몰았다. 그래
도 한때 꿈 많고 정 많던 딸이 고꾸라져 있는 게 눈에 밟혔는지 종잣돈
을 모아 작은 단칸방 보증금을 대주셨다. 이곳에서 다시 사람이 되어
주길 바라는 서글픈 눈동자와 함께. 언제나 나를 품어주던 커다란 그
늘이 이제는 그을린 그림자가 되어 나를 쫓았다. 슬퍼할 겨를도 없이
난 다시 뙤약볕 한가운데 서 있는 처지가 됐다.

이 나이 먹도록 아르바이트를 전전하는 신세가 처량하면서도 이제는 그 처량함이 왠지 익숙하게 느껴졌다. 오히려 남들보다 자유로울지도 모른다며 애써 착잡한 마음을 달래가는 그때, 저 멀리서 음악 소리가 들려왔다. 누군가의 목소리가 선명히 귀에 꽂혀 울려 퍼졌다. 오로지 청각에만 의존해 이끌리듯 소리의 근원지로 다가갔다. 사람이 그다지 많지 않아 똑바로 소리의 정체를 알아차릴 수 있었다. 밴드의 거리 공연이었다. 드럼까지 제대로 구색을 갖춘 밴드가 이제 막 공연을 시작한 듯했다. 한때 드러머를 꿈꾸며 밴드 무대를 찾아다니던 과거가 스쳐 지나갔다. 이사 온 이래 처음으로 흥미가 돋았다. 근 몇 년 만에 실물로 마주한 드럼통과 악기들이 그렇게 반가울 수 없었다. 나도 모르게 그들이 정면에서 보이는 맨 앞줄 가운데로 슬그머니 자리를 옮겼다.

베이스, 기타, 건반, 드럼. 모양도 소리도 가지각색인 악기들이 저마다의 방식으로 조화를 이루며 듣기 좋은 화음을 그려갔다. 동시에 연주하는 사람들은 자신들의 목소리를 또 다른 악기 삼아 열창을 이어갔다. 그들의 무대에 서서히 빠져가던 그때, 노래가 갑자기 멈췄다. 약 10초간의 정적이 흘렀다. 조용해진 틈을 타 왼편에서 기타 소리가 흘러나왔다. 돌아가면서 제 악기를 연주하는 독무대가 시작된 것이다. 감미로운 기타 연주에 이어 시원하고 명쾌한 드럼 소리가 심금을 울렸다. 이리저리 휘둘리는 드럼 스틱과 비트, 지루한 하루를 깨부수는 소리와 리듬감에 괜스레 나까지 짜릿하게 달아올랐다. 오랫동안 잊고 있던 소리였다. 박진감 넘치는 드럼 연주가 끝나고 잠시 그 여운에 젖어 있을 때쯤

둥- 둥- 둥-

정적을 깨고 들어오는 낮고 깊은 소리가 들려왔다. 베이스다. 머리를 반쯤 깐 채 까만 재킷을 걸쳐 입은 남자가 묵직하게 제 무대를 시작했다. 남자는 무릎을 살짝 굽히고 발로 리듬을 치며 무심하게 한껏 제 연주를 뽐내며 관객들을 매료시켰다. 단독으로 베이스 연주를 들어보는 건 처음이었는데, 차분한 듯 묵직한 매력적인 저음이었다. 그와 대비되는 베이시스트의 손동작도 관객의 시선을 빼앗는 데 한몫했다. 손을 바삐 움직이며 줄을 튕기는 역동적인 남자의 연주 모습에 나 역시 눈을 뗄 수 없었다. 홀린 듯 그와 그의 손에 들린 악기를 번갈아 바라봤다. 낮고 두꺼운 소리가 귀에 한 겹 한 겹 쌓아 올려졌다. 그동안 드럼 소리에 열중해 미처 알아보지 못한 귀한 소리였다. 중저음의 깊은 목소리를 가진 사람이 악기가 된다면 이런 소리였을까. 드럼만큼의 진한 여운을 안고 공연이 끝났다. 베이스의 묵직한 소릿결을 흘려보내고 다시 진부한 현실로 돌아왔음을 직시했다. 허탈함을 감추지 못한 채 나도 그곳을 벗어났다. 잠시 장을 보고 집으로 돌아오는 어스름한 저녁 밤. 맞은편 빌라 옆으로 붉은 기타 가방을 멘 한 남자가 들어갔다. 기타를 보자 아까 본 거리공연이 스치듯 생각났다. 이 동네는 악기 다

루는 사람이 모여 사는 건지, 허탈한 웃음이 새어 나왔다. 다들 제각기 꿈을 꾸며 살아가는 모습이 부러우면서도 잔잔히 서글픈 감정이 피어났다.

　다음 날 아침. 탁한 공기가 머리를 내리쳤다. 겨우 몸을 일으켜 부스스한 머리를 긁적이며 정신을 차렸다. 핸드폰을 확인하니 내일부터 출근하라는 메시지가 와있었다. 일단 일자리를 구했단 사실이 다행이긴 했지만 되려 어딘가 모르게 착잡해진 나는 집을 나왔다. 복잡해진 머리를 정리하려고 나온 내 눈에 들어온 건 집 앞 빌라 옆에 서 있는 한 남자였다. 이른 아침부터 붉은색 기타 가방을 둘러메고 머리는 왁스칠까지. 허름한 빌라 앞에 어울리지 않는 차림에 나도 모르게 시선이 갔다. 자세히 보니 낯이 익었다.

　어제 열정적으로 베이스를 치던 그 남자였다.

　'잘못 봤나 했는데 진짜 이 동네 사나 보네.'

　고요한 아침 낡은 빌라 앞, 시꺼먼 패딩을 대충 주워 입고 슬리퍼 차림인 내 모습이 더욱 그를 돋보이게 해주고 있었다. 남자는 한동안 말없이 담배를 지긋이 쳐다보고는 이내 집어넣었다. 착잡한 듯 한숨을 푹 내쉬고는 고개를 돌렸다. 순간 그와 내 두 눈이 마주쳤다. 나도 몰래 남자를 바라보고 있단 사실에 황급히 시선을 거뒀다. 괜스레 기가 죽어 집에 들어가려는데 갑자기 저 기타 가방을 업은 남자가 고개 숙이며 입을 뗐다.

　"안녕하세요."

순간 머리를 한 대 얻어맞은 듯했다. 주변을 둘러보았다. 아무도 없다. 나를 응시한다. 잘못 들은 건 아닌가 보다. 아무래도 나에게 한 인사인 듯싶었다. 예상치 못한 인사에 놀라 얼굴이 화끈 달아올랐다.

'보고 있었단 걸 들켰나? 잠깐 본 건데 오해하면 어쩌지'

3초도 안 되는 찰나의 순간 수많은 생각이 스쳐 갔으나 이내 생각을 꺼뜨렸다. 여전히 당황한 티를 감추지 못한 채 어딘가 어색한 경례로 대답할 뿐이었다.

"어제 광장 앞에서 공연 보셨던 분 맞죠?"

갑작스러운 남자의 첫인사에 이어 다시 말문이 막혔다.

2초간 정적이 우리를 감돌았다. 눈썹을 치켜세우며 날 안다는 듯 확신에 찬 남자의 눈빛에 겨우 입을 뗐다.

"... 네."

"하하, 역시 맞네요. 그때 맨 앞줄에서 너무 집중해서 저희 공연 봐주셔서 바로 기억났어요. 뭐 사람도 별로 없었지만. 이 동네 사시나 봐요."

"아…. 네 공연 잘 봤어요. 베이스 연주 좋던데요."

붙임성 좋은 호탕한 남자의 말에 나도 몰래 자연스레 남자의 연주를 칭찬했다. 무심코 마음에 묵혀두었던 말이 긴장이 풀림과 동시에 툭 튀어나온 것이다. 남자는 조금 의외인 듯 놀란 눈으로 다시 말을 이었다.

"감사합니다. 혹시 기회 되면 또 보러 와주세요. 이번 주는 토요일 오후 6시에 00 공원에서 공연하거든요."

뜻밖의 제안에 다소 놀랐지만 대충 대답을 얼버무리며 돌아왔다. 물론 가고 싶은 마음이 굴뚝같았다. 하지만 어째선지 흔쾌히 발걸음이 떨어지지 않았다. 공연 당일이 다가오고 일이 끝나자, 시간은 오후 6시 10분을 향해 달려가고 있었다. 이미 공연은 시작했을 터였지만 남자의 벌건 베이스 가방이 눈앞에 아른거렸다. 그의 연주를 다시 듣고 싶단 생각이 강하게 자리 잡았다. 시계를 보며 빠른 걸음으로 공원으로 향했다. 오늘은 주말이라 전보다 사람이 더 많아 무대 주위가 북적이고 있었다. 나는 오히려 안심하며 사람들 틈에 껴 조용히 공연을 감상했다. 어째선지 무대가 좀 허전했다. 드럼 소리가 들리지 않았다. 까치발을 슬쩍 들고 제대로 시야를 확장하니 역시나 드럼이 보이지 않았다. 짧은 듯 길었던 그들의 공연이 끝나자 사람들은 하나둘 자리를 뜨기 시작했다. 나 역시 이제 볼 일이 없는지라 돌아가야 했지만 무슨 심보에선지 한동안 발을 붙이고 서 있었다. 앞줄에 있던 관객들이 빠져나가니 어느새 공연하던 사람들이 바로 한눈에 보이는 거리까지 다다랐다. 뒷정리 중이던 옆집 남자는 덩그러니 서 있는 날 보더니 반가운 듯 아는 척을 해왔다.

"어, 정말 와주셨네요. 오늘은 뒤쪽에 계셔서 제가 못 봤나 봐요."

"아, 그게 아르바이트 끝나고 집 가는 길이었는데 마침 공연 중이길래요."

왠지 남자의 말에 이끌려 온 거 같단 생각에 괜스레 핑계를 대며 답했다.

"그러셨구나, 오늘 공연은 어땠나요?"

"음…. 좋았어요. 드럼이 없어서 좀 아쉬웠지만."

의외라는 눈빛으로 남자가 나를 지긋이 바라봤다.

"드럼 좋아하시나 봐요."

"아, 네 뭐…. 한 때 좀 쳤었거든요." 남자의 얼굴에서 조금 놀란 기색과 함께 이내 화색이 비쳤다. 그리곤 마치 기다렸다는 듯 내게 물었다.

"정말요? 드럼 치실 줄 아세요?"

순간 무언가를 기대하는 그 반짝이는 눈빛에 당황한 난, 버벅거리며 곧바로 선을 그었다.

"3년 전에 마지막으로 치고 안 쳤어요. 잘하진 못해요."

"괜찮아요, 마침 드럼 치는 친구가 그만둔다고 해서 새 드러머를 구하는 중인데, 혹시 생각 없으세요? 알아주는 밴드는 아닌지라 사람 구하기가 어렵네요."

뜻밖의 제안에 선뜻 잠시 시간이 멈춘 듯 생각에 잠겼다. 뒤이어 남자가 말하는 팀원의 포지션이나 연습실 분위기 따위에 관한 내용은 귀에 들어오지 않았다. 그러나 그 순간 내 안에 잠들어있던 기분 좋은 설렘이 아주 잠시 고개를 내미는 듯했다. 짧은 공연이었지만 어느새 조용히 마음에 들어온 밴드 그룹과 그곳에서의 연주라니. 하지만 이내 현실을 직시하며 헛된 설레발을 집어넣었다. 합을 맞추며 무대를 꾸미는 건 둘째치고 오랜만에 제대로 무대에 설 수 있을지조차 확신할 수 없는 상황인지라 더 생각할 필요도 없었다. 괜한 짓이었다. 많은 걸 포기하고 겨우 현실을 살아가고 있는 지금, 같은 실수를 반복할 순 없었다. 무엇보다 다시 헛된 꿈을 꾸며 시간 낭비하고 싶지 않았다.

"마지막으로 친지가 좀 오래돼서요. 감도 떨어졌고, 다른 사람 구하시는 게 나을 거예요."

"그러지 말고 좀 더 생각해 보시는..."

"아뇨, 전 정말 못해요. 죄송합니다."

단호하고도 냉담한 태도에 남자는 표정에서 연신 아쉬운 티를 감추지 못하는 듯했다.

"아쉽네요, 그래도 나중에 생각 바뀌시면 언제든 연락해 주세요. 알다시피 밴드가 드럼 빼면 시체라. 연습실은 언제나 개방되어 있어요."
그리고 남자는 내게 명함 한 장을 건넸다.

집으로 돌아가는 길. 평소 같으면 세상과의 소통을 차단하는 헤드셋에 온전히 몸을 맡겼을 터였다. 플레이리스트를 줄줄이 차지하고 있는 밴드음악을 들으며 집으로 돌아가는 게 하루 중 가장 즐거운 순간이었으나 오늘만큼은 무엇도 즐길 수가 없었다. 모처럼 날아온 기회를 외면했단 생각이 자꾸만 나를 파고들었다.

집으로 돌아와 멍하니 남자가 내게 건넨 명함을 다시 읽어보았다. 구은호. 베이스를 연주하던 그 남자의 이름이다. 그 밑으로 남자의 번호와 연습실 주소가 무심한 자필로 적혀있었다. 한참 동안 명함을 바라보다 구겨버리고 다시 줍고를 반복한 지 일주일째. 서랍장도 나를 답답해 여기는 듯한 무거운 분위기를 뚫고 조심히 전화를 걸었다.

뚜-

뚜-

"여보세요?"

연결음이 3번도 채 넘기기 전 남자가 곧바로 전화를 받아들었다.

"안녕하세요, 저예요. 공원에서 명함 받았던."

"…."

몇 초간 짧은 침묵 속 남자의 자못 당황한 기색이 전화기 너머 전해지는 듯했다. 어색한 침묵에 맞서듯 다시 입을 뗐다.

"드럼 칠 사람 구했나요?"

"아뇨, 아쉽게 아직 못 구한 참인데, 같이 일하고 싶으신 거죠?"

"네, 그렇긴 한데 말했다시피 손 놓은 지 좀 돼서요. 정말 괜찮나요?"

"오늘 연습실로 한 번 와주시겠어요?"

더듬더듬 연습실을 찾아가는 길이 마치 새로운 세계로 걸어가는 것처럼 설레면서 두려웠다. 조용히 한걸음, 한 걸음 내디디면서 금방이라도 다시 돌아가고 싶은 충동이 들었다. 잡념에 사로잡혀 한참을 걷다 보니 어느새 허름한 건물 앞에 들어서고 있었다. 못해도 근 20년은 되어 보이는 듯한 건물 위로 발걸음을 뗐다. 심호흡을 두 번 한 후 노크와 함께 문을 열었다.

"실례합니다."

처음 들어선 연습실 내부는 허름한 건물과는 달리 생기가 돋았다. "어서 오세요, 다들 기다렸어요." 남자는 반갑게 나와 날 맞이했다.

"정식으로 인사드려요, 베이시스트 구은호 입니다. 이쪽은 순서대로 건반, 기타를 담당하는 친구들이에요" "안녕하십니까! 반갑습니다."

"... 유설 입니다."

떨리는 마음을 누르고 구은호 씨를 따라 쭈뼛대며 합주실로 들어섰다.

"천천히 얘기 좀 나누면 좋은데 저희가 시간이 부족해서요. 먼저 악보 한 번 보여드릴게요."

비교적 쉬운 곡의 악보. 다행히 어깨를 짓누르던 압박감을 조금 내려놓을 수 있어 안심했다.

"오랜만이라 떨리시죠? 부담 갖지 마시고 천천히 손 풀릴 때까지 쳐보세요. 준비되면 저 불러주시고요."

혹시나 바로 앞에서 연주해야 하나 걱정이 태산이던 내게 큰 배려를 선사해 준 채, 구은호 씨는 이내 자리를 비웠다. 오랜만에 두 손에 들려진 드럼 스틱을 부여잡고 천천히 킥을 밟으며 연주를 시작했다. 조금의 실수는 있었으나 몸이 기억하는 듯 기가 죽지 않을 만큼의 실력은 남아 있었다. 그렇지만 행여 실수할까 걱정되어 같은 악보로 30분가량의 연습을 끝마친 뒤에야 사람들 앞에 설 수 있었다. 악보대로 실수 없이 연주를 마치자 다들 제 일처럼 기뻐했다. 극상의 난이도는 아니었지만 자기가 데려왔다며 웃어 보이는 구은호 씨를 보자 민망하면서도 괜스레 뿌듯한 마음이 들었다.

그렇게 매일 연습실에 모여 합을 맞춘 지도 어언 3개월. 이곳에서의 첫 공연이 어느덧 일주일 앞으로 성큼 다가와 있었다. 커다란 무대는 아님에도 오랜 꿈이 다시 찾아온 것처럼 심장이 조금씩 두근거리고 있었다. 팀원들과 합을 맞추며 조금씩 그들에게 의지해가는 내 모습이 낯설기도 했다. 자정이 다 되어가는 늦은 시간. 다음 주에 있을 첫 거리공연에 긴장이 된 나는 연습실로 향했다. 가만히 있기엔 도무지 안심할 수 없었기 때문이다. 연습실로 들어서고 있는데 익숙한 가방이 눈에 띄었다. 붉은색 기타 가방, 구은호 씨의 것이었다. 나보다 더 먼저 이곳에 와있는 그를 보자 기분이 좋았다. 마침 합을 맞출 상대가 없어 아쉬웠는데 잘됐다 싶어 함께 두 시간가량 연습에 불을 태웠다. 잠시 커피 한잔과 함께 숨을 고르는 와중 나는 그에게 물었다.

"전 잠이 안 와서 여기로 왔는데. 왜 온 거예요, 그쪽은?"

"시간이 아까워서요."

새삼스러운 그의 말에 피식 웃음이 나왔다.

"에이, 저야 오랜만에 첫 공연이니까 그런다 쳐도 구은호 씨는 이제 좀 여유 부려도 되잖아요." 너스레 떠는 나의 말에 딱히 할 말이 없었는지 그는 자연스레 말을 돌렸다.

"공연이 벌써 다음 주라니, 설이 씨 연락받고 놀란 게 엊그제 같은데 시간 빠르네요."

"안 믿겨요. 여기 있는 게. 사실 1년 전까지만 해도 상상도 못 할 일이었는데 말이죠."

늦은 새벽공기에 홀려서였을까. 그 사람의 온기에 마음이 놓여서였을까. 느닷없는 넋두리가 입 밖으로 새어 나왔다.

"전요, 유명한 드러머가 되고 싶었어요. 결국 포기했지만." 그는 눈을 맞추며 내 이야기에 귀를 기울였다. 그 모습을 보며 다시 천천히 말을 이었다.

"드럼이 너무 좋아서 이것만 보면서 살았는데 나하고는 비교도 안 되는 실력 있는 드러머들을 이길 수가 없더라고요. 그렇게 점점 무대에서 밀려났어요. 계속 드럼을 하고 싶은데 방법은 막막하고, 그러다 이상한 기획사에 들어갔다가 사기나 당하고. 꿈을 좇으며 주체적으로 산다고 살았는데 고생은 고생대로 하고 빚은 빚대로 늘고 정말 최악이었죠. 그렇다고 세상에 빌붙어 사는 것도 만만치 않았고요."

"마음고생 많았겠네요. 사실 저도 밴드 다시 시작한 지 얼마 안 됐어요."

"정말요? 그동안 뭐 하셨는데요?"

그는 꽤 어두운 얼굴로 지난날을 돌아보듯 한동안 말이 없었다.

"그냥 이것저것이요. 이렇게 살면 안 되겠다 싶어서 뭐라도 하자 했던 게 밴드 활동 다시 시작하는 거였거든요. 아무튼 그 전은 내가 더 최악이었을 거예요."

"그쪽도 평탄치는 않았나 보네요. 자세히 묻지는 않을게요. 항상 기운 넘치게 옷 딱 빼입고 행복해 보여서 그런 거 전혀 없는 줄 알았는데, 의외네요. 처음엔 지금 내 모습이랑 너무 비교돼서 위축될 정도였었는데."

"반대네요. 난 설이 씨가 나랑 비슷해 보여서 계속 눈이 갔어요."

"네? 어디가?"

"밴드에 관심 있는 것도 그렇고. 음악을 들을 때 악기 소리에 집중해서 감상하는 것도 그렇고, 능력은 많은데 지레 겁먹고 주저하는 것도 그렇고요."

"아니라고는 못 하겠네요."

"지금은 잘하고 있어요. 부러울 만큼."

그렇게 말하고 그는 잠시 말이 없었다. 그저 멍하니 허공을 바라봤다. 아주 고요하고 깊은 눈동자가 흔들리고 있었다. 나는 멋쩍게 헛기침을 내뱉고 내심 속에 있던 말을 꺼냈다.

"고마웠어요. 나한테 밴드 일 제안해 줘서."

"뭘요, 나야말로 고맙죠."

"뭐가요?"

"베이스 매력을 알아봐 줬잖아요. 그거 되게 드물거든요."

그는 싱긋 웃어 보이며 들뜬 목소리로 말했다.

"베이스는 무대 할 때 가장 티가 안 나거든요. 있는 듯 없는 듯, 소리도 가장 낮고. 근데 막상 베이스가 빠지면 그땐 또 티가 제일 많이 나요. 노래 질이 달라지는 게 확 느껴질 정도로요."

내 귀를 사로잡았던 낮고 깊은 소리를 그 역시 사랑하는 듯했다.

"맨 밑에서 노래를 받쳐주고 있는 거네요."

나도 공감하며 그의 말에 경청했다.

"그렇죠. 빛나는 악기들 사이로 묵묵히 노래의 빈틈과 공간을 채우는 거예요. 매력 있지 않나요? 처음엔 음악 속에 섞여 잘 안 들리는데 어느 순간 정신 차리고 보면 이것만 들릴 거예요. " 그러곤 자신의 베이스를 들어 약 1분간의 짧은 연주를 즉석에서 들려줬다. 베이스는 둥글게 선율을 그려가며 차분히 가라앉았다. 악기를 통해 전해진 정제된 이끌림은 어딘가 그를 닮아있었다. 새벽 밤 연습실을 가득 메운 그의 연주에 기분이 묘했다. 어색한 감정을 이기지 못한 채 슬그머니 일어났다.

"이제 가봐야겠어요. 다음 연습 때 봐요."

그도 아쉬운 표정으로 일어났지만 이내 싱긋 웃어 보이며 나를 배웅했다. 새벽 2시가 넘어가는 시간. 살짝 겁이 났다. 침착하게 주머니를 뒤적이며 핸드폰을 찾았다. 음악이라도 들으며 갈 심상이었는데, 급하게 일어나느라 연습실에 이를 두고 온 걸 뒤늦게 눈치챘다. 5분 넘게 걸어왔지만 그렇다고 핸드폰을 두고 오기에도 찝찝한 터라 잠시 고민 끝에 다시 연습실로 발걸음을 옮겼다. 으슥함을 깨치고 돌아간 연습실 문틈 사이로 희미한 소음이 들렸다.

'아직도 안 갔나?'

깜깜한 연습실 내부 사이로 흘러들어온 한 줌의 빛으로 간신히 그가 보였다. 좁은 문틈 사이를 비집고 그 순간 내가 마주한 것은 빨갛게 부은 눈망울로 숨죽여 눈물을 훔치고 있는 구은호 씨였다. 고요한 그곳에서도 그는 사방을 경계하듯 조심스레 창가를 등지고 앉아 원인 모를 슬픔을 흘려보내고 있었다. 그 모습을 바라본 나는 아무 말도, 아무 행위도 이어갈 수 없었다. 당황스러움이 물밀듯 몰려왔다. 어찌할 바를 모른 채 그저 멍하니 서 그를 바라볼 수밖에 없었다. 그에게 다가가 서

투른 위로라도 건네야 하는 것일까. 그러나 지금 다가가 말을 건다면, 그와의 관계에 있어 많은 것이 전 같지 않을 것이란 예감이 들었다. 그래서 나는 침묵을 택했다. 집으로 돌아와서도 그의 일그러진 슬픔이 한참 동안 아른거렸다.

  그날 일을 뒤로한 채 평화로이 시간은 곧잘 흘렀다. 나는 아무것도 묻지 않기로 다짐했고 여느 때와 다름없는 그의 환한 얼굴을 보며 내 선택이 옳았음을 확인했다. 마침내 고대하던 공연 당일. 소소한 규모의 거리공연이었지만 어느 때보다 기분은 들떠있었다. 특히 이 사람과 처음으로 함께 꾸리는 공연이기에 기대감이 컸다. 공연이 시작됐다. 많지 않은 관중이었으나 현장감을 맘껏 누리며 무사히 세 곡을 마쳤다. 수십 번도 더 가까이 연습한 곡들을 무사히 끝냈다는 생각에 점점 더 기분은 고조 되어 갔다. 흥겨운 분위기와 멤버들의 목소리에 홀린 듯 점차 사람들이 모여들었다. 퇴근 시간이 다가오고 지하철역 근처 유동 인구가 가장 많은 시간대에 접어들어 가고 있었다. 그런데 예상보다 몰려든 관객의 수가 생각보다 많았다. 기껏해야 20명 남짓하던 관객의 수가 퇴근 시간에 겹쳐 어림짐작해도 몇 배로 늘어나 있는 듯 했다. 모여드는 인파에 순간적으로 몸이 굳었고 머리가 하얘졌다. 애써 경직된 몸과 생각을 달래가는 와중 어느덧 두 번째 곡의 반주가 흘러나오고 있었다. 무사히 도입부에 들어갔으나 이내 킥이 꼬이고 박자가 빨라지는 탓에 앞에 선 팀원들이 애를 먹었다. 박자를 이끌어가는 드럼이 흔들리니 나머지 악기들도 하나둘 작은 실수가 튀어나왔다. 팀원들의 당황한 기색이 내게까지 전해졌다. 호기심에 잠시 발을 멈추고 지켜보던 관객들이 이내 흥미를 잃고 하나둘 자리를 이탈하는 게 보였다. 당장이라도 드럼 스틱을 던지고 나 역시 이곳을 벗어나고 싶었다. 팀원들에게 이루 말할 수 없는 죄책감이 몰려왔다. 한번 빨라진 드럼 박자에 허덕이며 멤버들이 따라왔고 결국 압박감에 못 이겨 정말로 드럼 스틱을 놓쳐버리는 최악의 실수까지 범하고 나서야 공연은 막을 내렸다. 우려했던 상황이 일어난 것이다. 부정할 수 없을 정도로 형편없는 실수를 남발한 나는 마지막까지 고개를 들 수 없었다.

공연이 끝난 직후, 허망함과 패배감에 휩싸인 나를 팀원들은 애써 위로해 줬다. 하지만 어떤 말도 귀에 들어오지 않았다. 나로 인해 공연을 망쳤다는 미안함과 죄책감. 동시에 또다시 실패했단 자괴감에 스스로 집어삼켜지고 있었다. 공연을 마치고 팀원들은 집으로 돌아갔다. 홀로 돌아온 텅 빈 연습실을 보며 참았던 눈물이 터져 나왔다. 이곳에서의 첫 공연을 누구보다 잘 해내고 싶은 마음이었는데, 모든 게 원망스러웠다. 변했다고 생각했지만, 변한 게 없었다. 여전히 내 정신력 하나 제어하지 못하고 쩔쩔매고 있었다. 그렇게 홀로 비탄에 젖어있을 때쯤 연습실 문이 열렸다. 구은호 씨였다. 다시 알 수 없는 감정들로 눈물이 차올라 황급히 고개를 돌렸다. 풀이 죽어있는 내게 다가와 그는 말했다.

"너무 자책할 것 없어요. 오랜만에 무대서면 프로도 긴장하고 실수해요. 저도 그랬는걸요."

그의 세심한 마음이 전해졌으나 위로가 되기엔 역부족이었다.

"아뇨. 다른 악기는 실수해도 드럼은 안 돼요. 저 하나 때문에 전체가 흔들렸어요. 잘할 수 있다고 믿었는데 인파에 나도 모르게 긴장이 돼서…. 죄송해요. 제가 바보 같았어요."

"괜찮다니까요, 실수하면서 이겨내고 성장하는 거죠. 다음 무대 땐 더 연습 많이 해서 극복해 봐요. 그땐 제가 직접 만든 곡으로…"

"그때 한 말 거짓말이었어요."

그의 말을 자르며 울분에 찬 나는 말했다. 내 마음을 아는 듯 모르는 듯 다음 무대를 기약하고 있는 그의 말을 더 이상 듣고 있을 수 없었다. 가까스로 목이 메어가는 것을 억누르며 그를 향해 말했다.

"다른 드러머들 때문에 무대에서 밀려난 게 아니에요. 늘 사람들 앞에 서면 머리가 하얘져 무대 위에서 꼭 크고 작은 실수를 해요. 이겨내려고 수없이 노력했는데도 그게 반복돼서 결국 쫓기듯 그만뒀어요. 좋아하는 일이랑 무대 역량은 또 다른 거더라고요. 그쪽이랑 팀원들이 격려해줘서 이번만큼은 다를 거라고 믿었고, 나도 달라지고 싶었는데 결국 제자리예요. 이런 나를 불안해하고 못 믿을까 봐 거짓말했어요."

이미 무대공포증에 겁이 질린 나에게 다음 무대란 상상도 할 수 없었다.

그는 다시 말했다.

"이해해요. 지금 당장은 속상하고 다 관두고 싶을 수 있어요. 하지만 이렇게 감정적으로 나오지 말아줘요. 충분히 이겨낼 수 있을 거라고 장담해요."

"... 죄송해요."

그는 기가 죽은 나를 어르고 달랬다.

"설이 씨한텐 앞으로 무수히 많은 기회가 있잖아요. 조금 실수해도 괜찮아요. 전부 나아가기 위한 과정이에요. 당장만 생각하지 말고 멀리 봐요. 난 분명 극복해 낼 거라 믿어요."

잔뜩 날이 서 있던 난 어딘가 허무맹랑한 위로에 도리어 반항심이 들었다.

"아까도 내 정신, 집중력 하나 통제 못해서 이 사달을 냈는데. 본인 일 아니라고 쉽게 말하지 말아요. 음악은 노력만으로는 안 돼요."

신경질적인 나의 대답에 그는 다시 할 말을 잃은 듯 보였다. 어쩔 줄 몰라 하는 그를 앞에 두고 10분 같은 10초의 시간이 흘렀다. 어색한 공기만이 우리를 감돌고 있었다.

"저 이만 가볼게요. 미안해요, 정말."

그는 서둘러 나가려는 내 손목을 필사적으로 움켜쥐었다. 미세하게 떨고 있는 숨결이 느껴졌다.

"나한테 그랬잖아요. 같이 밴드 일 하자고 제안해 줘서 고맙다고. 난 당신이랑 같이 연습하면서 즐거웠어요. 무채색이던 사람이 변해가는 걸 보는 게 어떤 말보다 내 인생에 큰 위로가 됐다고요. 가슴 뛰는 일을 하면 빛날 수 있구나, 나도 누군가에게 그렇게 보이고 싶다, 그렇게 생각하면서 포기하지 않으려 애썼는데….

그는 떨리는 숨을 고르며 당장이라도 울 듯한 얼굴로 말을 이었다.

"정말 이 일이 좋았던 거 맞아요? 고작 이런 실수로 다 그만둘 만큼

별거 아니었냐고요. 실망한 마음은 알겠지만, 나한텐 그저 회피하는 걸로밖에 안 들려요."

처음으로 정곡을 찌르는 그의 일침에 서러움이 북받쳐 올랐던 걸까. 한층 격앙된 목소리로 그에게 맞섰다.

"나도 당신이 믿어준 만큼 아니, 그 몇 배로 보답하고 싶었어요. 아무 의미도 목표도 없이 바보같이 도망만 치고 있을 때, 그쪽이 나를 믿고 맡겨준 일이었으니까요. 그게 눈물 나게 고맙고 기뻐서 꼭 잘 해내고 싶었다고요." 한 번 격해진 감정은 쉽사리 진정되지 않았다.

"근데 내가 여기서 더 고집부리면요? 아무리 실력이 있어도 무대 위에 설 깡도 없으면서 노력하면 되겠지, 앞으로 나아지겠지 하면서 정신 승리해봤자 구은호 씨랑 팀원들에게 피해만 줄 뿐이에요."

"…."

"구은호 씨도 나머지 팀원들도 모두 실력 있고 앞으로 더 성공할 수 있는 사람들인 거 알아요. 옆에서 지켜보면서 누구보다 크게 느꼈어요. 이대로 길거리에 남기엔 말도 안 될 만큼 너무 아까운 실력인걸요. 분명 팀한테 내가 짐이 될 거예요. 당신한테 골칫덩어리로 남겨지고 싶지 않아요."

"짐이라니 무슨…. 왜 그렇게 생각했는지 모르겠지만 절대 그럴 일 없어요. 더 높이 올라가고 싶은 욕심도 없고요. 그걸 왜 설이 씨가 걱정해요. 우리 눈치 봐서 그런 거면 더더욱 그럴 필요 없…"

"내가 싫다고요! 당신이 나 때문에 좋아하는 무대 망치고 꿈에서 멀어져 가는 걸 보게 되는 게 싫어요. 난 내가 제일 잘 알아요. 이렇게 죄책감과 부담감 가지고는 절대 나아갈 수 없어요. 몇 번이고 실패한 인생을 살았는데, 항상 중요한 순간에 무너져요. 그냥 나는 그런 사람이에요. 그러니까 아무것도 모르면서 제발 어쭙잖은 말로 위로 하지 말아요."

난 지금 그에게 최선을 다해 내 안에 차오르는 울분을 토해내고 있었다. 아픔, 상처, 슬픔, 원망. 형태도 없는 것들이 말로 태어나 그에게 던져졌다. 아무 잘못도, 죄도 없는 그는 내 말을 듣고 한동안 말이 없었다. 흥분한 나머지 잠시 이성을 잃고 모든 걸 내비친 나는 이러지도 저러지도 못한 채 차오르는 눈물을 닦아내며 머리를 쓸어내렸다. 들키고 싶지 않은 치부를 나도 모르게 까뒤집었다는 사실에 도저히 얼굴을 들 수 없었다. 더 이상 이 얼음장 같은 공기를 들이마시고 싶지 않았던 나는 황급히 연습실을 빠져나왔다. 그렇게 폭풍 같던 하루가 질기게 저물었다. 그 후로 구은호 씨는 몇 번이나 내게 전화를 걸었지만 모두 받지 않았다. 그저 미안하다는 애꿎은 사과의 메시지로 화답할 뿐이었다. 더 이상 그의 얼굴을 볼 자신이 없었다. 그렇게 두 달이 흘렀다.

아주 잠시 기분 좋은 꿈에서 깨어나 다시 한 칸짜리 방안에서 시간을 보내고 있었다. 그날 이후 멀리서 구은호 씨가 보일 때마다 그를 피했다. 나의 부족함을 그 사람 탓으로 돌린 것과 뜬금없는 화풀이를 한 모습이 떠올라 못내 민망했다. 그저 아르바이트를 이어가고 멀리서나마 팀원들을 응원하며 시간을 보낼 뿐이었다. 여느 때와 다름없이 일을 끝내고 어스름한 저녁 집으로 돌아오는 길. 누군가 집 앞 가로등 밑에 서 있는 게 보였다. 기타 가방을 둘러멘 구은호 씨였다. 다만 오늘은 눈에 띄는 붉은색이 아닌 검은색 가방이었다.

"여긴 무슨 일로…."

그는 한층 수척해진 얼굴로 웃으며 내게 인사했다.

"오랜만이에요. 잘 지내죠? 갑자기 찾아와서 미안해요. 근데 이렇게 하면 안 만나줄 것 같아서요."

"…."

"놀랄 필요 없어요. 부담 주러 온 건 아니니까."

복잡한 내 마음을 읽은 듯 그는 나를 먼저 안심시켰다. 차마 고개를 들 수 없었다.

"이번에 새로 생긴 사거리 라이브 바에서 공연을 맡게 됐어요. 제가 직접 만든 곡으로 연주할 거예요." 흠칫 놀라 그를 쳐다봤다. 그는 여전히 처연히 웃으며 나를 바라봤다.

"시간 되시면 보러 와주실래요?"

그는 날짜와 시간이 적힌 종이를 내밀고는 사라졌다.

7월 6일. 오후 8시. xx바

그의 공연 당일. 시곗바늘은 오후 7시 38분을 넘어가고 있었다. 선뜻 그의 공연을 보러 가지도 그렇다고 집에서 내 할 일을 하지도 못한 채 안절부절 방안을 돌아다녔다. 오후 7시 45분.

계속 시간을 죽일 수 없어 집을 나섰다. 한참을 고민 끝에 찾은 곳은 라이브 바가 아닌 연습실이었다. 몇 달 만에 찾은 텅 빈 연습실의 컴컴한 어둠 사이로 드럼이 쓸쓸히 그 자리를 지키고 있었다. 지금쯤이면 모두 공연 준비에 정신없겠단 생각에 뭉클함과 미안함이 몰려왔다. 지난 추억에 젖어 연습실을 한번 훑어보고 애써 드럼 앞에 앉아보기도 하며 쓸쓸함을 달랬다. '그래, 이게 맞아.'

쓸데없는 미련을 남기는 것보다는 이곳에 남아 멀리서나마 응원을 보내는 것을 택했다. 깨끗이 마음을 다잡고 문으로 향했다. 그때 연습실 안쪽 소파 옆으로 익숙한 가방이 눈에 들었다. 구은호 씨의 기타 가방이었다. '이제 이건 놓고 다니나.' 유별나게 눈에 띄던 그 붉은 가방에 정이 들었는지 섭섭한 마음이 들었다. 그의 가방을 조심히 세워두고 일어나려는데 그만 그의 베이스 가방이 중심을 잃고 쓰러졌다. 급히 가방을 바로 세우려는 순간, 열린 가방 사이로 한 권의 노트가 떨어졌다.

'이번에 곡 만들었다더니. 구상 노트인가?'

내심 궁금했던 나는 눈치를 보며 슬쩍 노트를 펼쳐봤다.

20xx년 2월 24일

모든 살아있는 것들이 원망스럽다. 아무것도 믿고 싶지 않다. 어떤 벌도 내리지 않은 속 편한 사람들이 밉다. 오로지 내 힘으로 이곳까지 왔는데 죽음의 문턱으로 가는 시한폭탄 같은 인생이라니. 앞이 보이지 않는다. 세상이 싫다. 모든 게 파도와 함께 휩쓸려 사라져가길 바란다.

20xx년 3월 27일

나는 죽어가는데 내 주변 것들은 각자 저마다의 미래로 나아간다. 의식하기 시작이니 내 몸이 더 병들어 가는 것 같다. 흘러가는 시간이 부풀어 오르는 풍선처럼 나를 옥죄여 온다. 하고 싶은 걸 마음껏 해야 하는데, 그럴 수가 없다. 무섭다. 이대로 아무도 모르는 사이에 지나가는 바람처럼 사라지면 어떡하지. 연주도 노래도 무엇도 눈에 들어오지 않는다. 내가 점점 사라지는 것 같다.

20xx년 4월 11일

많은 고민 끝에 밴드부 형들에게 내 병과 상황을 털어놨다. 형들은 같이 울어줬다. 고마웠다. 나도 울었다. 어린아이처럼 형들의 품에서 눈물을 닦았다. 한 줌의 응어리가 빠져나간 듯 몸과 마음은 가벼워졌다. 마음껏 노래하고 연주하면서 남은 시간은 이 사람들과 함께하고 싶다. 언제 죽어도 이상하지 않을 현실이 절망스럽지만, 삶에 예기치 못한 변수는 모두에게 공평하게 주어지는 것 아닐까. 희망을 잃지 말자.

20xx년 6월 8일

새 드러머를 구했다. 설마 했는데 정말로 연락을 줘서 기뻤다. 그 사람이 드럼을 칠 수 있단 사실을 알자마자 도저히 그냥 지나칠 수가 없었다. 이상할 만큼 붙잡고 싶었다. 함께 할 수 있는 명분이 필요했던 걸지도 모른다. 동정이 아닌 동경. 측은함이 아닌 애틋함으로 나를 봐준 그 눈빛이 필요했던 걸지도 모른다.

20xx년 9월 4일

그 여자와 연습을 한 지도 3개월이 흘렀다. 내 생각보다 그녀는 밝고 유쾌한 사람이다. 첫 만남 이후 언뜻 비쳤던 묘한 그을림은 서서히 사라져 가는 듯했다. 나와 비슷한 듯 전혀 다른 삶을 살아갈 그녀가 부럽다. 다시 꿈이 생겼다. 두렵다. 부디 이번 무대를 무사히 마치고 함께 나아가고 싶다.

20xx년 9월 27일

함께하는 시간이 쌓여갈수록 죄책감이 늘어만 간다. 점점 몸이 예전 같지 않음이 느껴질 때마다 밀려오는 절망을 외면하는 게 쉽지 않다. 나는 지금의 이 행복에 젖어 꿈을 꾸고 있는 것일까? 헛된 희망조차 삶을 지켜낼 하나의 동력이 된다는 걸 느끼며 지금은 그냥 이 꿈에서 깨어나지 않기를 바랄 뿐이다.

난 힘없이 그 자리에 주저앉았다. 내가 연습실을 무책임하게 떠난 그 후로 더 이상 일기는 적혀있지 않았다. 그가 필사적으로 숨겨온 아픔을 몰래 들춰냈단 사실에 몸이 굳었다. 홀로 감당하기에 벅찬 현실을 등에 업고 있던 그의 지난 삶이 스쳐 지나갔다. 곧바로 라이브 바를 향해 숨이 터지도록 달렸다. 그의 목소리가 들려왔다. 인생의 굴곡을 짓밟으며 부르짖는 모습을 난 그저 멀리서 바라봤다. 무대 위의 그와 눈이 마주쳤다. 그는 살짝 놀란 듯 보였으나 흐릿한 미소를 머금고 노래를 이어 불렀다. 자신의 곡으로 치열하게 삶을 노래하고 있는 모습이 나를 소리죽여 울렸다. 무서움에 도망쳤던 과거와 꿈을 죽이며 살아가던 날들에 대한 후회가 밀려왔다. 실수에 벌벌 떨며 그를 다시 삶의 끝자락으로 밀어낸 사실에 고개를 들 수 없었다. 숨죽여 울고 있는 나를 보며 그는 당황한 표정을 감추지 못하고 애써 내 눈을 피했다. 처음으로 무대를 끝까지 보지 못한 채 돌아서서 라이브 바를 벗어났다. 그를 이대로 보내고 싶지 않았다. 아니 보낼 수 없었다. 어떻게든 그 사람을 붙잡아야 한단 생각만이 머릿속을 가득 채우고 있었다. 나는 정처 없이 떠돌던 걸음을 멈추고 다시 라이브 바로 향했다. 얼마 간을 기다리자, 무대를 끝마친 그가 나왔다.

"와줘서 고마웠어요." 애써 고맙다고 말하는 그의 모습이 왠지 낯설었다. 눈을 마주치지도 못한 채 그는 어딘가 불안해 보였다. 나 역시 그의 얼굴을 마주한 지금, 무슨 말을 해야 할지 머리가 복잡했다.

"…." 고개를 푹 숙인 채 그의 눈을 피해 조용히 눈물을 삼킬 뿐이었다.

한참을 말없이 서 있는 내게 그는 물었다.

"… 다 알고 온 거죠?"

그는 치부를 들킨 사람처럼 상기된 얼굴이었다. 이 사람이 치열하게 숨겨 온 그림자를 몰래 훔쳐봤단 죄책감에 아무 말도 할 수가 없었다. 그의 흔들리는 눈을 보자 눈가에 슬픔이 다시 차올랐다.

"… 미안해요. 그동안 이기적으로 나만 생각했어요. 한 번만 더 기회를 줘요. 다시는 혼자 도망치지 않을게요. 뭐든 부딪혀나가면서 나아갈게요. 그러니까…. 구은호 씨만 괜찮다면 염치 없지만 다시 같이…."

그는 말없이 잠시 뒤를 돌아 눈가에 손을 짚으며 깊은 한숨을 내쉬었다. 처음 보는 내 모습에 어쩔 줄 몰라 하는 듯 보였다. 그러고는 잠시 생각에 잠긴 뒤 입을 뗐다.

"솔직하게 말할게요. 맞아요, 나한텐 시간이 많이 없어요. 내게 남은 시간이 어느 정도인지는 몰라요. 다만 확실한 건 이 순간에도 시간은 계속 흘러가고 있단 거고, 난 그게 미칠 듯이 아쉽다는 거예요. 다른 건 생각할 여유도 없을 만큼."

그의 마지막 문장에 그만 가슴이 쿵 하고 내려앉았다. 그는 덤덤히 아무 표정의 변화도 없이 말을 이어갔다.

"그래서 여길 벗어나 좀 더 많은 걸 보러 떠나고 싶어졌어요."

예상치 못한 그의 말에 놀란 나는 다급히 그를 붙잡았다.

"... 진심이에요? 아니잖아요. 나랑 여기서 같이 일하고 싶잖아요. 노래 부르고, 음악 하면서 그렇게 살고 싶잖아요. 왜…."

"아뇨, 생각이 바뀌었거든요. 물론 무대에 서는 게 오랜 내 꿈이지만 즐길 만큼 이곳에서 충분히 누렸어요. 미안해요."

묘하게 차가워진 듯한 그의 태도에 더는 말을 이어갈 수 없었다. 정을 떼려는 듯한 단호한 표정이 몹시 서운했지만 내겐 그럴 자격조차 남아 있지 않았다. 머릿속을 헤집어가며 다음 할 말을 찾았다. 필사적이었다. 그러나 그를 붙잡을만한 어떤 말도 떠오르지 않았다. 구은호 씨는 머뭇거리는 나를 뒤로하며 짧은 인사를 건넸다.

"그동안 고마웠어요. 내 걱정하지 말고 잘 지내요."

쓸쓸히 걸어가는 그의 뒷모습을 쫓기듯 바라봤다. 이대로 보내면 영영 끝이라는 생각에 조급해진 나의 입에서 스스로와 타협할 새도 없이 말이 튀어나왔다.

"내가 같이 있고 싶다면요?"

그가 돌아봤다. 예고도 없이 던진 말에 놀란 건 나 역시 마찬가지였다. 그는 나의 다음 말을 기다리듯 아무 말도 없이 여전히 걸음을 멈춘 채 서 있었다. 나는 숨을 한 번 고르고 그에게 다가가며 말했다.

"구은호 씨한테 남은 시간이 얼마든, 아무런 상관이 없다면요. 내가 같이 있을게요. 어떤 말도 어설픈 위로도 하지 않고 그냥 옆에 있어 줄게요. 하고 싶은 거 마음껏 할 수 있게 내가 돕겠다고요."

그는 한참 동안 말이 없었다. 가로등 불빛이 그를 비추며 깜빡이고 있었다.

"고마워요, 그렇게 말해줘서. 하지만 당신은 당신 인생을 살아요. 내가 바라는 건 그거예요."

그는 나를 향해 다시 웃어 보였지만 전과 같은 따스한 눈빛은 아니었다. 모든 걸 내려놓은 듯한 텅 빈 눈동자가 아주 잠시나마 빛나보려 애쓸 뿐이었다. 그렇게 쓸쓸한 등을 보여주며 구은호 씨는 돌아갔다. 나를 이곳에 홀로 남겨두고. 난 길을 잃은 아이처럼 한참 동안 그가 사라진 방향을 보고 서 있을 수밖에 없었다. 어떤 마음으로 나를 대했고 또 밀어내고 있는지, 그의 마음을 감히 헤아려 볼 수조차 없단 사실이 나를 더욱 괴롭게 했다.

집으로 돌아와 마지막으로 내가 할 수 있는 게 무엇일지 생각했다. 단 하나밖에 떠오르지 않았다. 다음 날, 연습실을 찾아갔다. 홀로 조용히 연습실을 정리하던 구은호 씨는 어리둥절한 표정으로 날 보며 물었다.

"여긴 무슨 일이에요?"

"딱 일주일만 시간을 줘요. 여기서 연습 좀 할게요. 일주일이면 돼요."

"네? 그게 무슨….."

"일주일 후에 알게 될 거예요. 지금은 아무것도 묻지 말고 여기 대여 좀 해줘요. 부탁이에요. 아 그리고, 그전까지 아직 아무 데도 가면 안 돼요. 알겠죠?"

다급하고도 조금 억지를 부리는 듯한 나의 모습에 그는 어안이 벙벙한 듯 잠시 말을 아꼈다. 나라고 마냥 속이 편한 건 아니었지만 다른 방법이 없었다. 최대한 간절한 눈빛으로 그에게 나의 의지를 강하게 호소했다. 당황스러움을 여전히 감추지 못한 그가 마지못해 대답했다.

"… 딱 일주일이에요."

일주일의 시간이 주어졌다. 매일 연습실에서 먹고 자며 드럼 연습에 불을 켰다. 실수하면 하는 대로, 몇 번이고 몇십 번이고 반복했다. 드럼 스틱이 부러질 때까지 치자는 마음으로 일주일간 내 모든 것을 불사 질러 연습에 전념했다. 한 번씩 그가 의아한 듯 밖에서 내 모습을 지켜보고 갔지만 신경 쓰지 않았다. 그저 더 열심히 했다. 팔이 저리고 발에 힘이 들어가지 않아 킥을 찰 힘이 남아 있지 않을 때가 되어서야 비로소 잠들 수 있었다. 그렇게 일주일째 되던 마지막 날 밤. 구은호 씨에게 문자를 보냈다.

　사거리 광장 오후 2시

　다음 날 정오를 알리는 알람음이 들렸다. 답장은 오지 않았지만 개의치 않고 나갈 채비를 끝냈다. 편한 체크무늬 남방을 걸쳐 입고 심호흡을 하며 집을 나섰다. 미리 연락해 둔 팀원들이 드럼 세팅을 도와줬다. 지나가는 사람들의 힐끗힐끗 쳐다보는 시선이 느껴졌다. 광장 한복판에 드럼만 덩그러니 놓여 있는 모습이 낯선 듯 보였다. 모든 준비를 마치자, 시간은 2시 1분 전을 가리키고 있었다. 팀원들에게 감사 인사를 전하고 홀로 드럼 앞에 앉아 눈을 감고 2시가 되기를 기다렸다. 심장은 터질 것 같았으나 어느 때보다 마음은 경건하고 비장했다.

　정각 2시.
　'생각을 비우자. 실수해도 상관없어. 그냥 즐기면 돼.'
　양손을 번갈아 가며 드럼 심벌을 힘껏 두드리니 모든 이목이 내게 집중됐다. 몇몇 모여있던 관객들도, 지나가는 사람들도 하나같이 이쪽으로 시선을 옮겼다. 이어 모든 걸 쏟아 받칠 듯한 강렬한 무반주 연주로 사람들의 시선을 이끌었다. 신나는 비트와 강렬한 드럼 소리에 점점 흥미를 안고 관객들이 모여들었다. 짧은 듯 짧지 않았던 약 2분간의 연주를 마치자, 관객들은 응원의 박수를 보내줬다. 여전히 심장은 빠르게 뛰고 있었으나 호흡을 고르고 이내 다시 음악과 함께 다음 연주를 이어갔다. 어느새 난 홀로 수십 명 관중에 둘러싸여 있었다. 점점 더 고조된 감정으로 음악에 맞춰 드럼 스틱을 휘둘렀고 보기 드문 단독 드럼 연주에 사람들은 더욱 열광하는 듯했다. 신기하듯 촬영을 하는 사람도 있었다. 처음 느껴보는 고양감이었다. 그때, 저 멀리 사람들 틈을 비집고 다가오고 있는 익숙한 붉은 기타 가방의 머리가 보였다. 구은호 씨였다. 그가 내 단독 공연을 지켜봐 주고 있단 사실에 힘입어 나는 날아다니듯 신이 난 아이처럼 무대를 이어갔다. 공연 도중 그를 의식하는 탓에 간혹 발이 삐끗하고 아주 미묘하게 박자가 빨라지는 구간도 있었지만 그건 중요하지 않았다. 관객들과 그의 앞에서 도망치지 않고 당당히 무대를 채워나가고 있단 사실만이 나를 가득 채우고 있었다.

그렇게 어느덧 마지막 한 곡만을 남겨두고 있던 즈음, 나는 오롯이 고개를 들어 관객들을 바라봤다. 구은호 씨는 내가 그를 처음 마주했던 그 자리, 그곳에서 마찬가지로 나를 똑바로 바라보고 있었다. 나는 미리 세팅해 둔 마이크를 몸쪽으로 끌어당기며 떨리는 마음을 누르며 천천히 입을 뗐다.

"부족한 연주에도 지금까지 자리 지켜주고 계셔서 감사합니다. 많은 공연을 해봤지만 홀로 사람들 앞에 선 건 처음인데요. 늘 실수하고 도망만 치다가 오늘 처음으로 스스로한테 반항하는 중인데 이상하리만큼 기분은 좋네요."

천천히 관객들을 빙 둘러보며 천천히 말을 이었다.

"모두 어떤 삶을 살아가시는지 모르겠지만 혹시 지금 내 삶이 바닥이라고 느낀다면, 저를 통해 한 줄기 희망이 보였으면 좋겠습니다. 불과 몇 달 전까지 시체처럼 지내던 사람이 지금 다시 여러분 앞에서 팔이 부러지게끔 드럼을 치고 있으니까요. 아직도 겁이 많은 평범한 사람이지만 앞으로 나아가기 위해선 수많은 실수를 받아들일 용기가 필요하다는 것을 몸소 느꼈습니다."

내 말에 응한 듯 관객들은 하나둘 격려의 박수를 보냈다. 그 역시 여전히 눈을 맞추며 묵묵히 내 이야길 들어주고 있었다. 나 역시 시선을 천천히 그에게로 옮겼다.

"누군가는 환상적이고 가슴 뛰는 이야기를, 누군가는 지극히 현실적이면서 조금은 잔혹한 이야기를 믿으며 살아갑니다. 전 지금껏 늘 후자를 택했어요. 그래서 다른 걸 보지 못했습니다. 어떤 이야기를 믿으며 살아갈 것인지 정답은 없어요. 선택만이 있을 뿐이죠. 삶의 문턱에 서 있대도, 결국 마지막은 나의 시선 끝에 달려있습니다. 앞으로 무얼 선택하고 바라보든, 희망을 버리지 말고 각자의 방식으로 의미를 찾아가면 좋겠습니다."

관객들은 조용히 귀를 기울였다. 사뭇 무거워진 분위기에 정신을 차리고 다시 말했다.

"제가 너무 진지했나요? 얘기는 여기까지고요. 마지막 연주 들려드리면서 마치도록 하겠습니다. 곡명은 Coming Home입니다. 유능한 음악가가 몇 주 전 발매했어요. 즐겁게 들어주세요."

말을 끝맺자, 음악이 흘러나왔다. 마지막 곡은 그의 자작곡을 살짝

편곡해 온 것이었다. 그는 처음에 다소 놀란 듯 보였으나 이내 환한 미
소로 내 마지막 공연을 누구보다 즐기고 있었다.

"평생 잊지 못할 날이네요, 오늘."

공연이 끝나고 구은호 씨는 내게 손을 내밀며 악수를 청해왔다. 그
를 본 이래로 가장 밝은 미소였다.

"나도요."

나와 그는 마주 잡은 손을 한동안 놓지 못했다. 아니 정확히는 내 쪽
에서 붙들고 있었다.

"떠난다는 말…. 아직도 변함없는 거죠?"

그는 말없이 나를 안아줬다. 그 품이 너무 따뜻해, 슬프게도 나는 다
음 말을 직감할 수 있었다.

"… 미안해요. 미안합니다. 정말….."

그는 설움에 찬 목소리로 하염없이 사과를 되뇌었다. 그는 내게 얼
굴을 보이지 않았지만 어떤 표정일지 알 수 있었다. 난 그 모습을 조용
히 눈을 감고 바라볼 뿐이었다.

그렇게 구은호 씨는 떠났다. 반짝였던 무대와 애틋했던 동네, 그리
고 은근했던 나의 마음을 남겨두고 다시는 돌아오지 않았다. 마지막
인사도 제대로 나누지 못한 채 우린 돌아섰다. 그가 떠난 동네는 허무
할 정도로 활기가 넘쳤고 햇살은 나를 위로하듯 천천히 내리쬐고 있었
다. 그 후로 다시 공연에 설 일은 없었다. 대신 거처를 옮겨 작은 음반

기획사에 취직했다. 출근하는 내 모습이 낯설면서도 서서히 적응하며 나름 그럴듯한 사회인이 되어가고 있었다. 퇴근을 하고 집으로 돌아오는 길. 우편함에 봉투가 꽂혀있었다. 봉투 앞엔 익숙한 이름 석 자가 선명히 적혀있었다. 그에게서 온 편지였다. 복잡한 심경으로 편지를 안고 조심히 집으로 들어왔다. 마음을 가다듬고 한 줄 한 줄 편지를 읽어갔다.

〈당신이 기억할지 모르겠지만 내게 이런 말을 한 적이 있습니다. 세상에 빌붙어 살아가는 게 쉽지 않다고요. 오늘이 내게는 그런 날이네요. 그래서인지 염치없지만 당신 생각이 났습니다.

지금 내가 마주한 세상은 잿빛이 섞여 있지만 그 사실이 마음 아프면서도 끝내 빛을 물들이고 싶은 희망을 품게 합니다. 아픈 과거로부터 도망쳐 꿋꿋이 오늘을 살아감에도 결국 삶의 끝자락을 마주했고 당신과 함께 그곳을 걸어가며 알 수 있었습니다. 이런 상황에서도 여전히 마음 한편에 내일을 살고 싶어 하는 진심이 살아 있단 걸요. 죽음보다는 알 수 없는 내일을 맞이하고 싶은 게 우리의 본능이니까요. 그렇게 내 마음이 현실을 거슬러 결국 솟구쳐 오를 거라 기대하며 깊은 새벽 밤 당신에게 이 글을 남깁니다.

행여 현실의 벽을 넘지 못해 내가 이곳을 떠나더라도, 어디선가 존재하며 애써갈 당신에게 말해주고 싶었습니다. 난 당신을 만나 무척 행복했었단 걸요. 벼랑 끝에 태연히 매달려 있던 날 이끌어줘서 고마웠어요. 그런 의미에서 당신은 이미 충분히 강한 사람이란 걸 기억해 줬으면 합니다. 거친 세상에 발 하나 걸치고 언제든 떠나려 한대도 그 사실이 당신이 약하다는 방증이 될 순 없습니다. 우린 필연적으로 태어났 듯 언젠가 필연적으로 떠나야 하는 존재니까요.

당신도, 나도 그 어떤 누구도 삶에 대한 정의를 내릴 순 없습니다. 인간이 한낱 우주의 먼지에 불과하다지만 우리의 인생은 우주만큼 복잡하고 또 그 속을 온전히 알 수 없으니 말이죠. 괜찮습니다. 언젠가 보이지 않는 어둠이 찾아와 지금 딛고 서 있는 그곳을 떠난대도 당신의 삶을 버린 게 아니에요. 그저 어딘가에 살아 숨 쉬며 내 안의 남아 있는 가치들을 쥐고 있다면 충분합니다. 그러니 언제가 다시 길을 잃을 지라도, 소중한 것들을 되새기면서 주어진 아침을 맞이해주세요. 삶의 무게를 업은 채 고뇌하고 방황하는 당신을 응원하고 기대합니다. 부디 언젠가는 꼭 당신의 집을 찾을 수 있길 바라요.)

-구은호-

그의 글을 보고 한동안 아무 말도 할 수 없었다. 조용히 옅은 숨을 내쉬었다. 내 안에 이름 모를 감정이 다시 일렁이며 나를 뒤흔들었다. 편지를 쥔 손이 스르르 힘이 풀리며 무릎 옆으로 자리했다. 여전히 손에 붙들려 있는 편지 밑부분은 점점 손아귀 힘을 이기지 못해 구겨져 갔다. 생각을 정리하기까지 그리 오래 걸리진 않았다. 지금 내게 필요한 의미를 찾아 나서야겠단 의지가 세차게 가슴을 두드렸다. 차표를 끊고 집을 나섰다. 하늘 아래 하얀 목련이 흩날리며 거리에선 음악이 흘러나왔다. 그러나 지금 나에겐 선명한 베이스 소리만이 들려올 뿐이었다.

빨간 단추

젊은공원

젊은공원　젊은공원은 충청북도에 위치한 회사를 다니며 서울에서 매일 지하철,기
　　　　　　차,버스 총 3가지 교통수단을 이용하며 출퇴근을 하고 있다. 그 중 기차
　　　　　　타는 시간을 가장 좋아한다. 기차에서 책을 읽거나 음악을 들으며 창밖
　　　　　　하늘을 감상하며 자아성찰하는 시간이 소중하다고 생각한다.

　　　　　　instagram: @sy__rup_

오전 6:00

　아침 6시 알람이 울려 공원은 가볍게 몸을 일으켰다. 몸은 가볍지만 눈꺼풀이 무거운 건 언제나 적응하기 힘들었다. 공원은 찬물 세수로 금방 눈꺼풀의 무게감을 줄여보았다. 그녀는 큰 어려움 없이 손, 발, 다리에 차근차근 힘을 주어 움직여 보았다. 만성피로를 겪고 있는 직장인의 그 흔한 아침 투정 없이 움직일 수 있는 것은 바로 그 녀석 덕분일 것이다. 10년 전, 쳇바퀴 같은 아침 그 녀석을 만났다.

　햇살이 좋고 따뜻한 3월, 아침 잠에서 깨지 못한 채 1교시 수업을 들으러 강의실 언덕을 넘어가고 있었다. 아직 이른 아침은 겨울이 가시지 않았는지 봄 시린 아침 공기가 코끝을 때렸다. 공원은 예상치 못한 시린 공기에 몸을 움찔거리며 아침 수업을 신청한 것이 옳은 선택인가 잠시 고민했다. 아직 익숙하지 않은 헐떡고개 탓에 숨이 너무 가빠 공원은 잠시 멈춰 숨을 고리며 고개 끝자락을 향해 고개를 들었다. '이래서 여기를 헐떡고개라고 부르는구나...' 라는 생각을 하는 중 언덕 끝자락에서 무언가 올라왔다. 어떤 사람의 머리가 올라왔다. 자유롭게 여기저기 흩날리는 단발머리였다. 자연스러운 컬링이 풍성하게 날려 마치 뭉게뭉게 나풀나풀 구름 같았다. 그 남자의 머리에 시선을 빼앗기던 찰나, 햇빛에 무언가 반사되어 빛이 눈을 때렸다. 단추였다. 그의 셔츠에 달린 쇠 재질의 붉고 빛나는 단추에 반사된 햇빛에 눈이 찡해 그만 눈을 감아버렸다. 언덕 넘어 펼쳐진 구름 한 점 없던 하늘에 그가 구름과 해가 된 듯한 광경이었다.

이후 공원은 오늘 언덕에서는 하늘을 만날 수 있을까 생각하며 아침을 시작했다. 그의 뭉게뭉게 구름 같은 머리는 어떤 펌 인지, 원래 본인의 머리인지, 그의 셔츠에 달린 붉은 단추는 직접 달았을까? 등 이런 저런 생각을 하면서 매일 아침 헐떡고개로 나섰다. 무한한 호기심과 흥미로움으로 공원의 아침은 지루할 틈 없이 흘러갔다. 운 좋으면 일주일에 세 번, 종종 늦게 나오는 날이 많았던 주는 일주일 한 번 정도 그를 언덕에서 마주칠 수 있었다. 그를 신경 쓴 지 7주하고 3일이 지나가던 아침, 언덕에서 마주친 그는 머리를 짧게 자르고, 강의실에서 흔히 볼 수 있었던 곤색의 세미 정장을 입고... 왠지 모를 배신감에 공원은 언덕 중턱에서 우뚝 서서 그를 쳐다보았다. 그런 그가 씨익 웃으며 '이건가!' 외마디를 외쳤다. 그의 스타일에 대한 배신감, 말하는 그의 모습에 대한 호기심, 그동안의 경이로움 등 복합적인 감정이 폭발했던 것일까. 공원은 뚜벅뚜벅 그에게 걸어가 약간은 화를 내듯 이야기 좀 하자고 무턱대고 말을 걸었다. 그 기세에 지지 않고 그는 반가운 듯 망설임도 없이 수긍했다.

1교시 수업은 잊은 채 그와 학교 앞 카페에 가서 마주 앉았다. 오늘은 왜 칙칙하고 뻔한 옷을 입었는지, 왜 그 예뻤던 구름 같은 머리를 잘라버렸는지부터 처음 봤을 때부터 궁금했던 모든 것들을 쏟아내며 묻고 싶었다. 하지만 정신을 차리고 보니 미친 사람처럼 보일 것 같아서 그의 앞에서 아무런 말도 못 하고 그를 노려보기만 했다. 커피를 주문하고 기다리며 그를 카페로 데려온 것을 후회하고 있던 찰나 침묵을 깬 것은 그였다. '제 이름은 하늘이예요. 이하늘. 혹시 오늘 제 스타일 때문에 이야기하자고 한 건가요?' 하늘 같다고 생각했던 사람이 진짜 하늘이었다니. 그의 이름이 진짜 하늘인 점에서 놀람과 동시에 그가 먼저 본인의 스타일 변화에 대해서 말을 꺼냈다는 것에 뜨끔함을 느낀 공원이었다.

　하늘도 그동안 공원을 유심히 지켜보며 호기심이 들었고, 그녀의 어두컴컴하고 정제된 매력에 매료되었다. 그게 문제였다. 상대가 자유분방하고 알록달록한 자신에게 매료되었는지 모르고 그녀의 취향이 검은 대리석 같은 느낌일까 하여 그녀의 관심을 받기 위해 마음을 먹은 것이었다. 그의 의도대로는 아니었지만, 결과적으로 공원과 하늘은 서로의 매력에 빠져 연애를 시작했다.

　하늘은 공원의 생각보다도 더 자유로운 영혼을 지닌 사람이었다. 매일 아침 6시만 되면 그는 산에 오르기 위해 발길을 나섰다. 공원과 매일 마주치던 그 고개를 넘어 건너편에 있는 산이었다. 공원은 그가 매일 아침 수업 가기 전 오르던 그 산이 궁금했다. 특별한 이름도 없고, 정상에 올라도 멋진 절경이 펼쳐지는 산도 아니었다. 누군가는 그런 별 볼 일 없는 힘들기만 한 산을 오르는 것이 의미가 있냐고 물어볼 정도였다. 하지만 그는 개의치 않았다. 공원은 그에게 옆 동네에 있는 예쁜 길이 나 있는 관광지로 유명한 산을 오르는 것이 더 좋지 않겠느냐 물었다. 그는 눈을 반짝이며 "내가 가는 산이 나에게 필요한 곳이야."라며 꿋꿋하게 산을 올랐다. 공원이 듣던 수업이 마침 휴강하던 날, 그를 따라 산에 올랐다. 오르막이 가파르고 사람의 발길이 닿은 지 오래되어 흙과 길이 다져지지 않은 정말 자연의 산이었다. 함께 산을 오른 그날, 공원은 처음으로 하늘에게 왜 그 산을 오르는지 듣게 되었다.

하늘의 꿈은 여행자였다. 정확히 말하자면, 히말라야 등반을 꿈꾸는 여행자였다. 그가 매일 오르는 그 작은 산은 히말라야, 또는 히말라야를 가기 위한 디딤돌 같은 존재였을까 공원은 생각했다. 구름 같이 다양한 모습으로 하늘을 누비는 여행자의 모습이 그에게 너무 잘 어울린다고 공원은 생각하며 여행자가 되기 위해 하루하루 살아가는 그를 닮아갔다. 목적 있는 1분 1초를 살아가는 하늘은 공원에게도 살아가는 열정과 목적을 선물해준 사람이었다. 종종 그가 아침 수업에 늦는 날이면 모두가 오늘 산에 무슨 일 있었는지 물어보곤 했다. 그 중엔 그런 그를 한심하게 보며 "저 산만 오르다가 히말라야 눈 다 녹아서 없어지겠다야" "진짜 별 짓을 다 하네... 나라면 그 시간에 1분이라도 더 자겠다."라며 비아냥거리곤 했다. 하지만 그는 대학교 4년 내내 산 오르기를 멈추지 않았다.

하늘의 머리가 어느덧 다시 단발까지 길었다. 그의 자유분방함과 히말라야에 대한 그의 독특한 열정은 다시 뭉게뭉게 부푼 머리만큼이나 더욱 부풀었다. 그의 머리와 열정이 부풀어가는 동안 공원도 다채로운 열정을 가진 사람이 되어갔다. 공원은 거울 속 그녀의 귀여운 잔머리들이 나풀나풀 날리는 것을 바라보며 처음 만났던 하늘의 모습을 떠올렸다. 특이하지만 우습진 않았던 그의 아우라를 조금 닮게 된듯하여 즐거운 마음이 들었다. 공원은 그와 연애하는 동안 매일 아침 하고 싶은 일에 설레어 눈을 뜨고, 쉴새 없이 돌아다니며 내 삶의 조각조각을 채워 나가는 재미에 시간 가는 줄 몰랐다. 그렇게 4년이 지나 나의 모습은 위풍당당한 나폴레옹처럼 변해있었다. 하고 싶은 분야를 찾았고, 하고 싶은 일을 찾아 겁낼 것 없이 무엇이든 그와 같이 도전하며 살아갔다. 그러다 어느 날 여느 연인들의 헤어짐과 같이 나를 변화시켜준 하늘과도 헤어지게 되었다. 여느 연인들의 헤어짐과 비슷했지만, 서로의 열정적인 삶과 목표가 성공하길, 그 다채로운 빛을 잃지 말기를 응원하며 끝났다. 공원은 성장통 같은 연애였다고 생각하며 일상을 살아갔다. 그녀는 그와의 연애는 끝났지만 매일 아침 열심히 살아가던 열정과 드디어 찾은 나의 삶의 엔진은 꺼지지 않을 것이라 생각했다.

우리의 여정은 끝났지만 항상 우리 각자의 꿈을 위한 여정은 지속되길 바라. -하늘-

그와의 마지막 연락이었다.

오전 6:30

　2023년 12월 오전 6시 30분의 서울역 드높은 천장에서 오는 한기와 각지로 움직이기 위해 홀렁홀렁 모여든 사람들의 온기가 섞인 서울역에서 공원은 하루를 시작했다. 아침 일찍 집을 나서 이곳에 모인 사람들은 서로를 볼 새 없이 빠르게 움직였다. "와... 저 사람은 매일 맥모닝을 챙겨먹네... 이런 부지런한 사람들..." 공원은 매일 같은 시간 맥모닝을 먹는 창가 넘어 익숙한 사람들을 보면서 누군가와 닮았다고 생각했다. 그뿐이었다. 마저 바삐 발걸음을 옮겼다. 10 플랫폼에서 9호차 6시 46분 출발하는 울산행 열차. 9호차 15D 좌석. 늘 타던 시간. 기차. 호차. 내 자리... 매일 오송역으로 출근하면서 2년 동안 변하지 않은 정보지만 매일 아침 공원은 나지막하게 중얼거리며 확인해보았다. 그럴 일도 없겠지만 혹시나 바뀐 건 없을까? 확인 안 하고 탔다가 갑자기 오늘은 탑승 플랫폼이 바뀌어 다른 기차를 타는 상상을 해보았다. 만약 다른 기차를 타버려서 훌쩍 여수로 가버리면 어쩌지? (그녀는 신입사원 시절 실수로 여수행 기차를 탄 적이 있었다.) '그럼 그냥 휴가를 쓰고 여수에서 놀고 오는 게 좋을까? 반차를 쓰고 바로 오송으로 가는 기차를 타고 바로 회사로 허둥지둥 올라오는 게 맞을까? 오늘 급한 일이 있었던가?' 공원은 아찔한 생각은 꼬리에 꼬리를 물었다. 아찔한 상상을 하며 그녀는 계속 휘적휘적 걸었다. 기계적으로 펄럭일수록 소매 사이사이 바짓가랑이 사이로 날카로운 찬 바람이 스며들어온다. 정신없이 걷다 보니 어느새 매일 그녀를 싣고 가는 기차 앞에

섰다. 적어도 백 번 이상 타고 결국 그녀의 선택을 받은 그녀의 자리 15D를 향해 팔다리가 기계적으로 움직인다, '44분... 오늘은 너무 딱 맞게 왔네, 이미 옆 사람이 앉아있겠군,' 9호차 기차 안, 각자 하루의 여정을 시작하기 위한 이동. 이 길고도 짧은 이동을 위해 기차가 출발하기도 전에 얌전히 다들 눈을 감고 잠들어 있다. 들숨 날숨을 울렁이며 패딩을 입는 사람들이 각자 좌석에 앉아 끼어 있다. 혈관 사이사이에 끼어 지방들처럼 각자 위치에서 자리를 잡고 끼어 있는 듯하다. 역시나 이미 공원의 옆자리 15C에는 누군가 이미 앉아 눈을 감고 있었다. 통로에 잠시 멈춰 옷깃을 살짝 건드려 깨워보았다. 살짝 잠이 들어 있던 남자는 지긋하게 감았던 눈을 뜨고 익숙한 듯 뚝딱뚝딱 양다리를 복도 쪽으로 향해 옮겨 앞좌석과 몸 사이의 작은 통로를 내어주었다. 50대 정도로 보이는 그는 지루한 직장인 생활을 적어도 20년 이상 해온 분이라고 공원은 생각했다. 그녀는 매일 이렇게 지내다가 20년 뒤에도 저 사람처럼 변함없이 이 자리에 앉아서 출근해야 하나 생각하며 찰나의 서글픔과 답답함을 애써 무시했다.

공원의 첫 출근길은 3년 전이었다. 하늘과 헤어진 이후 대학을 바로 졸업하고 그토록 원하던 일을 하기 위해 집에서 멀리 떨어진 회사로 입사했다. 비록 지하철을 30분 타고 서울역에 내려 또다시 기차를 1시간 타고 오송역에 내려 또 20분 동안 버스를 타야 하는, 자그마치 2시간 반이 걸리는 머나먼 출근길이다. 하지만 그녀에게는 즐거운 여행길과 같았다. 그녀의 열정과 꿈을 향해 나아가는 여행길이었다. 학창시절 수학여행 전날 잠을 못 자도 졸리지 않은 것처럼 그녀는 언제나 들떠 기차에 탑승했다. 그렇게 들뜬 마음으로 회사생활을 지내왔다. 오늘은 어떤 일들을 하게 될지, 어떤 이슈를 해결할지 들뜬 마음을 못 이기고 10분만 더 빨리 가볼까를 반복하다가 1시간 일찍 출근하기를 1년을 반복했다. 1시간이나 일찍 출근하는 공원을 반겨주는 이는 아무도 없었다. 아니, 한 명 있었다. 출근하자마자 가는 회사 내 카페 사장은 언제나 그녀를 반겨주었다. 하지만 그녀도 이해하지는 못했다. 공원은 카페 사장님이 그녀를 이해할 수 없었던 이유를 금방 알 수 있었다.

평소와 같이 한 시간 일찍 출근한 공원은 매일 마시던 아이스라떼를 주문하기 위해 카페에 들어갔다. 카페 사장은 공원의 주문도 듣기 전에 이미 넣어둔 얼음이 있던 컵에 우유를 부으며 이야기를 꺼냈다. "나도 한때는 자기처럼 열심히 일하던 회사원이었어, 지금까지 일했으면 팀장님 소리 듣고 있었을걸? 안 그래 보이지?" 공원은 처음 듣는 이야기였다. '평생 향긋하고 맛있는 커피를 만들기 위해 일했을 것 같은 사장님이 회사원이었다니, 왜 그만두었을까'라는 생각을 하면서 샷이 추가되고 있는 아이스라떼를 바라보았다. "그냥 옛날의 내가 생각나서 그러는데,,, 자기 30분만 늦게 출근해보는 건 어때? 다 자기 위해서 하는 말이야. 내가 일부러 들은 건 아닌데, 어제 우연히 자기 팀 사람들이 점심에 왔었는데 자기가 유별나다고, 일찍 오는 거 불편하다고 그러더라고... ...." 공원은 예상치 못한 이야기에 가슴이 쿵쾅거렸다. 누군가 공원에게 그렇게 이야기할 것이라고 그녀는 상상도 못 하고 있었다. 사장님은 서비스로 라떼에 샷을 하나 더 추가해주며 이야기를 이어 나갔다. "나는 자기가 부지런하고 좋은 사람인 거 너무 잘 알지. 그치만 모두가 그렇게 생각해주지는 않더라고. 자기 좋은 사람인데 오래 못 버틸 것 같아서 걱정돼서 하는 말이야. 사실 나도 그랬고." 공원은 그날 생각이 많은 하루를 보냈다. 한 시간 일찍 오는 게 고쳐야 할 일인가. 내가 이상한 걸까. 열심히 살아가는 방식이 잘못된 걸까.

머지않아 공원은 깨달았다. 이 사회는, 적어도 이 회사라는 작은 사회는 타성에 젖는 것이 미덕이었다. 일명 '고인물'이라는 사람들이 칭송받고 권력을 얻게 되는 구조였다. 타성은 어떤 동작이나 경험으로 오랫동안 굳어진 버릇 또는 태도를 말한다. 이러한 타성에 젖은 개인들이 만든 집단은 고인물을 만들어 낸다. 문제가 생기고 해결할 이슈가 생기면 타성에 젖은 개인들은 고인물 중 고인물의 말을 법처럼 따른다. 작년에 했던 방식으로, 안된다면 제작년에 했던 방식으로 해결해나간다. 타성에 젖은 세계에서 열정과 새로운 방식을 위해 시간을 내는 존재는 눈엣가시였다. 공원은 눈엣가시가 될 만큼 용기 있는 사람은 아니었다. 공원은 그 이후 2년이 지난 지금 정시출근을 한다. 그렇게 공원은 정시 출근하는 고인물들과 함께 무난하고 조용한 회사생활을 하고 있다. 그토록 싫어했던 고인물이 되어가고 있었다. 고인물의 자격을 얻은 댓가로 그녀는 신선한 모닝커피를 포기해야 했다. 그녀가 아침에 카페를 간지도, 사장님과 아침 인사를 해본 지도 어느덧 2년 이상 되었다. 그녀는 요즘 정시에 출근해 탕비실로 터벅터벅 걸어가 전 날 마저 씻지 않은 텀블러를 대충 씻은 후 사놓은 지 얼마나 오래되었는지 모르는 인스턴트 커피를 타 먹으며 매일 아침을 시작한다.

공원은 15D좌석에 익숙한 듯 앉아 길지 않은 다리를 살짝 뻗고, 아직 잠이 덜 깬 무거운 머리는 창가 쪽으로 살짝 기대어 온몸에 힘을 뺐다. 이제 나의 주도권을 모두 이 기차에 실어버렸다. 눈을 감기 전 손에 최소한의 힘을 들여 핸드폰으로 7:45에 알람을 맞췄다. '물론 여기 누군가가 또 알람을 맞춰놓아 깨겠지...' 알람을 맞춘 뒤 익숙하게 항상 듣는 플레이리스트를 재생하고 이어폰을 귀에 꽂았다. *When you try your best but you don't have succeed... When you get what want you want but what not you need...(Coldplay作, Fix You)*

공원이 앉아 있는 15D는 각 호차의 역방향 맨 뒷좌석으로 인기 있는 자리는 아니다. 처음부터 15D 자리를 좋아한 것은 아니었다. 3년 전은 8A였다. 그녀의 첫 선택을 받은 좌석이다. 정방향 좌석으로 가장 창밖이 훤하게 보이는 좌석이다. 8A 좌석에 앉아 밖을 바라보면 시속 300km로 달리는 듯한 기분이 들었다. 그렇게 8A 좌석을 타고 다니던 그녀는 힘차게 하루의 시작을 향해 달려 아침부터 활기찬 여행으로 시작했었다. (매일 아침 창밖을 보며 내 뒤로 휙휙 지나가는 예쁜 아침 풍경을 보며). 그리고 어느 날부터 공원은 15D 자리만을 고집하게 되었다. 15D 좌석은 기차 한 칸 내 가장 끝자리이다. 창문이 거의 안 보이는 자리이다. 그저 잠이 덜 깨어 떠오르는 태양을 피해 잠시라도 잠들고 싶은 사람에게는 최고의 조건을 갖춘 좌석이다. 그래서일까. 출근 시간 15D 좌석은 생각보다 출퇴근 시간에는 인기 있는 자리이다.

이 자리를 거의 매일 차지하고 있는 공원은 이 기차 안에서의 고인물이 되었다는 걸 체감했다.

오전 7:12

땅땅땅 ... 땅따라라라라 땅따라라라.... 삐삐삐삐 삐삐삐삐 삐삐삐삐 ... 오전 7시 10분에 알람을 맞춰둔 수 많은 핸드폰들이 울린다. 광명역에 하차하는 사람들이 꾸물꾸물 일어나 무거운 발걸음을 옮긴다. 누군가에게는 하루를 이제 진짜 시작하는 알람이고, 누군가에겐 잠을 깨우는 그저 소음이다. 공원도 잠에서 알람 소리를 들었지만 익숙한 듯 다시 잠을 청해보았다. *우리 기차는 광명역, 광명역에 도착하고 있습니다. 광명역에 하차 하시는 승객분들은 ...* 광명역을 지나는 기차 승무원의 안내 방송이 한 번 더 공원을 깨웠다. 살짝 눈을 떠보니 살짝 보이는 창 밖에는 저 멀리 작고 동그란 새빨간 해가 떠오르고 있었다. 공원은 오늘따라 강렬히 하늘에 붉은빛을 내뿜고 있다고 생각하며 눈을 살짝 찡그렸다. 떠오르는 해와 함께 광명역이라는 글씨가 빛나고 있었다. 공원은 광명역이라는 역 이름을 참 잘 지었다고 생각하며 창문 넘어 기차에 들어오고 있는 사람들을 한 명 한 명 바라보았다. 어두운 긴 패딩 점퍼에 노트북 정도는 들어갈 크기의 검은 가방. 아무리 뜨거운 일출이 찬란하게 빛나고 있는 광명역이라도 저 사람들도 별수 없

군! 생각하며 공원은 귀찮은 듯 시선을 그대로 두었다. 정적인 공원의 시선을 깬 것은 빨간 단추였다. 짙은 적색 단추가 달린 긴 코트가 공원의 시선을 잡아끌었다. 코트의 주인은 제대로 보지 못했다. 오랜만에 본 적색 단추에 공원은 왠지 모를 긴장감 때문인지 막혔던 혈관이 뚫린 기분이었다. 공원은 혹시나 하는 그 마음에 코트 주인이 9호차에 타기를 내심 기대하며 9호차 문이 열릴 때마다 유심히 쳐다보았다. 9호차로 들어오는 사람들을 순차적으로 확인했다. 네 명이 지나갔지만, 그 사람은 들어오지 않았다. 그녀가 코트 주인을 찾는데 흥미를 잃어갈 때쯤 바로 적색 단추의 코트 주인이 들어왔다. 익숙한 단발머리, 하늘이었다.

공원은 너무 놀라 그에게 시선을 마저 둘 수 없었다. 반가움이었을까. 당혹스러움이었을까. 공원은 조심스레 검은자가 아닌 소위 흰자를 사용하는 엿보기 방법으로 그의 실루엣을 살폈다. 확실히 그가 맞았다. 그는 여전히 단발머리를 하고 있었다. 아니, 더욱 풍성해진 단발머리였다. 초첨을 잃고 눈알을 굴리는 공원이 당황하고 있는 사이에 그의 움직임이 멈추었다. 공원은 두근거리는 가슴을 쓸어내리며 앞에 수많은 좌석을 방패 삼아 좌석 틈 사이로 그의 자리를 파악했다. 하늘은 8A에 앉아있었다. 그 다운 선택이어서 놀랍지 않았지만 1년 전 내 자리를 빼앗긴 것 같은 기분에 공원은 오묘한 감정이 들었다. 8A에 앉은 그는 이 기차에서 유일하게 졸리지 않아 보이는 사람이었다. 여전히 초롱초롱한 눈망울로 흥미롭다는 듯 출발하는 기차 밖을 쳐다보고 있었고 주섬주섬 무엇을 꺼내고 있었다. 그를 살피느라 공원도 잠이

다 달아났다. 잠이 다 달아난 까닭은 자리를 빼앗긴 분노만은 아니었을 것이다. 차마 그에게 연락하거나, 지금 아는 척을 할 수 없는 이유는 부끄러움 때문이었다. 지금 이 모습이, 타성에 젖어 버린, 이 구역의 고인물이 되어버린 그녀의 모습이 그에게 보이고 싶지 않았다.

하늘의 이야기는 2년 전 대학 동기들에게 전해 들었다. 하늘은 그녀와 이별 후에도 꾸준히 '그 산'을 타다가 졸업 이후 네팔로 유학을 갔다고 들었다. 그가 그곳에 간 이유는 너무 분명했기에 아무도 놀라지 않았다. 공원은 그가 그토록 원하던 히말라야 등반을 위해 바깥 세상을 향해 나아갔다는 사실에 너무 행복했다. 그의 열정과 목표를 긴 시간 응원해 온 만큼 그 소식이 그녀에게 두근거림을 주었다. 하지만 그를 믿으면서도 현실적인 문제에 결국 그가 굴복하지 않을까 걱정했었다. 그를 아는 모두가 그가 금방 돌아올 것이라고 믿었다. 그리고 하늘이 떠난 이후 아무도 하늘의 소식을 들을 수 없었다.

공원은 용기 내어 그를 바라보았다. 그의 눈을 쳐다보고 싶었지만, 그가 들고 있는 책에 얼굴이 반 정도 가려져 그의 눈이 보였다, 안 보였다는 반복하고 있었다. '도대체 무슨 책을 저렇게 열심히 읽고 있는 거야?'라고 생각하며 그녀의 시선은 자연스럽게 그가 들고 있는 책으로 옮겨졌다. 꽤 떨어진 거리에 제목은 안보이지만 하얀색, 하늘색이 주를 이루고 검정색, 초록색이 듬성듬성 들어간 표지였다. 공원은 찬찬히 표지 그림을 자세히 살폈다. '아! 히말라야 산맥이다! 아직 포기하지 않았구나!' 공원은 그의 여전한 히말라야 사랑을 확인해서 안도감을 느끼면서도 그 모습에 약간의 질투감이 느껴지기도 했다. 여전히 순수하고 열정적이게 세상을 살아가는 하늘이 부러웠다.

오전 7:45

삐삐삐삐 삐삐삐삐 삐삐삐삐... 공원이 맞춰 놓았던 알람 소리가 울렸다. 공원은 벌써 오송역에 도착했다는 사실에 깜짝 놀라 황급히 알람을 껐다. 오늘따라 알람이 크게 울렸을까. 알람 소리가 나는 쪽을 향해 하늘이 시선을 옮겼다. 결국 그와 눈이 마주쳤다. 반가움과 놀란 표정의 하늘을 보며 공원은 어색하게 웃음 지으며 손 인사를 했다. *우리 기차는 오송역. 오송역에 도착하고 있습니다. 오송역에 하차하시는 ... ...* 공원은 정신 차리고 급히 내릴 준비를 했다. 하늘은 급히 내리고 있는 공원을 아쉬운 듯 바라보며 하고 싶은 말이 있다는 듯 눈짓을 보냈다. 그 사이 공원은 기차 밖으로 나왔다. 이미 내려 창밖에 있는 공원을 향해 손짓으로 핸드폰과 기차에서 내내 읽고 있었던 책을 가리켰다. 공원의 핸드폰엔 하늘의 문자 한 통이 와있었다. '오랜만이야. 나는 얼마 전에 네팔에서 돌아왔어. 이거 내가 쓴 책이야. 히말라야 등반기를 써봤어. 나중에 한 번 봐줘. 그럼 너도 항상 너의 길을 여행하길 바라. 잘 지내!' 공원은 문자를 읽고 멍해졌다. 그 사이 하늘이 탄 기차

는 떠나고 없었다. 공원은 그와의 만남과 문자 내용의 충격에 빠져나오지 못한 검은 롱 패딩의 직장인들과 함께 회사를 향해 무리지어 걸어갔다. 공원은 걸어가면서 핸드폰으로 도서구매 포털에 들어가 하늘의 이름을 검색해보았다. 그의 책이 바로 떴다. 「이로써 하늘과 가까워지다」 -이하늘. 순수하고 열정적이었던 하늘이 비로소 하늘 그 자체에 가까워진 이야기였다. 공원은 우선 도서 주문 후 잠시 깊은 생각에 빠졌다. 마치 태아가 처음 세상에 나와 들이쉬는 숨처럼 고통스럽다. 공원은 울렁거림을 느꼈다.

오전 8:00

다음 날 아침 8시, 공원은 2년 만에 한 시간 일찍 출근하고 아이스라떼를 마시러 카페에 갔다. "사장님 오랜만이에요. 저 이제 이 시간에 매일 올게요."

진눈깨비

정승헌

정승헌   책을 쓰게 된 정승헌입니다. 이 책은 불안감에 대한 내용입니다. 사람은
모두 불안감에 휩싸입니다. 당연한 감정이고 누구에게나 있지만 그 점을
나에게서 찾는 분들이 많고 자책하시는 분들 또한 많습니다. 다양한 사
람과 상황 속에서 벌어질 수 있고 나의 영향이 없을 수 있습니다. 하지만
불안감을 해결하는 법은 나에게 있습니다. 감정을 피하지말고 직면하며
자기 자신이 인지하며 해결까지 도달하라는 마음으로 작성했습니다.

12월 눈이 소복이 내린 날이다. 편의점에 가 간단한 먹을거리를 사고 집을 가던 중 반딧불보다 밝은 해보다 따뜻한 빛이 눈에 들어온다. 아파트 공원 옆에 조그맣게 트리가 번쩍임을 뽐내고 있었다. 김수한은 그 트리를 바라본다. 초록색과 갈색의 나무, 그 위에 둘러진 조명들, 딱 그 정도. 눈 덮인 트리가 수한의 눈에 들어왔다. "춥겠다." 수한이 말을 하자 동시에 자신의 몸도 추워졌다. 따뜻한 트리는 추운 한파를 이기지 못했다. 서둘러 집에 들어가 편의점에서 사 온 삼각김밥을 꺼내본다. 세 개의 꼭짓점으로 이루어진 김밥은 수한의 성격과 닮아있었다. 날이 서 있었고, 어쩌면 모난 느낌까지 들었다. 손으로 집어보자 차가운 삼각김밥이 손끝으로 전해진다. 차가움은 수한의 입을 얼게 만들었다. 수한은 방금 사 온 삼각김밥을 먹지 못했다.

아침 일찍 수한은 밖에 나갈 채비를 한다. 그는 작가의 꿈을 가지고 있다. 하지만 습작으로 연맹하는 인생이라 누구에게도 터놓고 글을 쓴다고 하지 못했다. 꿈은 꿈일 뿐이라는 말은 수한에게 하는 말인 것 같앉다. 현실은 냉혹하고 매서웠다. 어쩌면 그와 많이 닮아있는 현실은 현실적인 그와 잘 맞아떨어졌다. 곧 설날이 다가온다. 수한은 설날을 싫어한다. 사촌과 친척이지만 그에게는 한 명 한 명이 면접관 같았다. "지금 하는 것은 있고." "결혼은 언제 할 거야." 한 마디 한 마디가 비수를 꽂았다. 수한은 배를 보고 있다. "많이 까졌네." 무심코 던진 돌이 계속되어 사람이 죽을 수 있다는 걸 수한은 알고 있다. 물증은 없고 심증만 있는 장소를 그는 가기 싫어했다. 결국 그곳에는 가해자는 없고 피해자만 있는 그곳을 수한은 만들고 싶지 않아 했다. 아침 일찍 나간 것은 바로 그것 때문이다. 설날 때 만들 얘깃거리를 찾는 것, 이곳저곳을 살펴보던 와중 연기학원이 눈에 띄었다. 어쩐지 그에게 연기라는 것이 부정으로 다가오지 않았다. 매번 밖을 나가면 그는 연기한다. 친구에게 연기했고, 모르는 타인에게 연기했다. 가면을 쓰고 대하는 모습이 싫지는 않다. 그 덕분인지 발걸음이 무겁지도 않다. 학원에 들어가니 우드톤의 바닥과 옆 칸에는 상장들이 줄줄이 놓여있다. 바로 앞에는 연기방이 있고, 반대쪽 방들은 연습방의 칸들이 많이 있다. 연기방에 들어가니 배우지망생들과 연기선생님이 계신다. 수한이 말했다. "저 혹시 상담 가능할까요." 연기선생님은 약간 놀란 표정을 지었다. "전화 주셨나요?" 수한이 말했다. "아니요. 오늘 처음 왔습니다." 상담실에서 10분 남짓한 상담을 하고 방에 들어갔다. 처음 발 디딜 때 한기가 느껴진다. 단상이 보이고 학생들이 보인다. 단상에 연기 선생님께서 인자한 미소를 지으신다. "허허 처음은 낯가리고 해서 연기하려면 빨리 사람들이랑 친해지는 게 좋을 거야." 수한은 가벼운 고개를 끄덕였다. 그리고 다시 한 번 학생들을 보았다. 그러던 중 한 여자가 눈에 띈다. 석류보다 빨간 입술, 날카로운 콧대, 올 곳은 눈망울이 내 눈동자를 향해 다가온다. 수한은 생각한다. "예쁘다." 정직한 눈이 계속 그녀를 쳐다본다. 눈이 마주칠 때 심장이 조금씩 작아진다. 오그라들고 졸아든다. 숨이 멎기 직전 수한은 정신이 돌아왔다. 수한은 더는 발이 차갑지 않았다.

    연기학원을 다니면서 수한은 점점 변하기 시작했다. 감정이 생기고 생기가 생겼다. 그리고 또 다른 마음의 변화가 있었다. 그녀의 이름은 김혜민이었다. 수한은 혜민을 관찰했다. 수한과 혜민은 둘 다 첫째였다. 그리고 성씨도 같았다. 수한은 그런 동질감이 마음에 들었다. 조금씩 비슷한 점을 알아갈 때마다 초등학생 때 선생님 몰래 까먹던 사탕과 같은 느낌이 들었다. 소리 나지 않게 깔 때의 마음 졸인 느낌과 다 까고 났을 때의 쾌감, 입속으로 들어가 혀와 닿는 설탕 덩어리가 단 느낌. 정말이지 달았다. 바로 앞에 행복과 와 닿는 느낌이 다디단 느낌과 다른 것 없다는 사실까지 알았다. 처음 수한을 보았을 때 혜민은 생각했다. 눈보다 차가운 인상, 거북이 등껍질보다 딱딱한 언행, 사람들과 잘 어울리지 못하는 모습, 혜민은 모든 사람과 어울리는 자기 자신과는 다른 모습을 보고 그에게 호기심을 느꼈다. 혜민은 그에게 약간의 말을 건다. "어디 사세요?" 수한이 대답한다. "저 금천구 살고 있어요." 혜민이 말한다. "혹시 영화 좋아하세요?" "네." 수한은 단답형으로 대답한다. 그런 혜민은 수한이 신경 쓰였다. 자기를 싫어하는 건 아닌가? 왜 사람들과 어울리지 않고 혼자 지내는 가로 시작돼, 집에서까지 그를 생각하기 시작했다. 연기학원의 시스템은 이렇게 돌아간다. 평일은 독백연기를 하고, 금요일은 2인 역할로 짝지어 연기한다. 혜민은 그런 금요일이 기다려졌다. 그와 2인 연기를 해보고 싶었고, 그를 알고 싶었다.

금요일이 다가왔다. 상황의 주제는 남녀 간의 갈등을 다룬 소재였다. 나이차이가 많은 남녀가 만나 주변인들의 만류에도 사랑을 하는, 그러나 결국 헤어지는, 2인 대사는 A4용지 한 장이었지만 많은 이야깃거리가 담겨 있었다. 4주 동안 진행되는 2인 대사는 4번의 팀이 바뀌었지만, 그들은 한 번도 만난 적이 없었다. 어쩌면 만나지 않은 것이 더 좋았을지도 모른다. 그들과 대사는 상반됐고 대사를 통해 부정적인 감정을 서로 받고 싶지 않아했다. 학원을 마치고 집으로 돌아가는 중 눈이 내린다. 수한은 이제는 눈을 보고 추운 감정이 들지 않았다. 하얗고 깨끗했다. 솜사탕처럼 보이는 눈을 수한은 혀를 내밀어 먹었다. 수한은 웃음을 지었다 .4주가 지났을 무렵 금요일마다 하는 술자리를 통해 그들은 꽤 친해졌다. 말도 섞었고, 서로의 눈동자도 많이 보았다. 그 눈동자에는 당신에게 끌림이 있다는 마음까지도 확인했다.

수한은 집에 들어와 공책을 폈다. 난잡하고 어지러운 글씨들이 만류에도 향했다. 글 속에는 어머니에 관한 내용이 수두룩했다. 수한은 그 부분을 전부 찢어 버렸다. 다음 장을 피고 제목을 적었다. "눈에 마음 하나 점 찍으며." 처음 소설을 시작했을 때보다 글이 잘 나왔다, 수한은 결핍이 최고의 글의 소스가 된다고 믿었고 행했지만, 지금의 수한에게 있어 결핍은 요거트를 먹는데 플라스틱 숟가락이 없는 것 그뿐이었다. 수한은 거울을 본다. 약간 올라간 입술, 단정한 머리카락, 생기가 돌아온 눈, 수한은 하루하루가 즐거웠다. 금요일이 기다려졌고, 혜민을 보고 싶었다. 그래서인지 연기학원에 더 자주 나가고 더 열심히 했다. 연기하면 할수록 감정이 다양해지고 표현의 폭이 넓어졌다. 수한의 마음속에 항상 있는 말이 있었다. "사람 관계에서 말 안 하면 모르지." "말해야 알아." 수한은 그 의미에 대해서 정확히 알고 있었고 혜민에게 전달하고 싶었다. 그래서인지 수한은 금요일마다 꾸몄다. 단정한 옷을 입고, 깔끔하게 머리를 정리했다, 가벼운 향수를 뿌리고, 산뜻한 발걸음으로 학원에 향했다.

"이번에 학원에서 주최하는 연극제를 열거야." 학원 선생님께서 말했다. 대본을 보니 셰익스피어의 "한여름밤의 꿈."이었다. 수한에게 희곡은 서먹한 사이였다. 그는 책을 읽어 보았다. 책은 잘 읽히지 않지만 어떤 인물을 맡고 싶은지는 정확히 알고 있었다. 라이샌더와 디미트리어스 두 역할이 어만 했고 그 역할밖에 떠오르지 않았다. 두 배역은 사랑을 하는 역할이었고 본인의 상황과 어울려 더욱 하고 싶었다. 연극제를 하는 장소는 소극장이다. 학원 근처에 있었는데 그곳은 허름하지만 가볍지 않은 장소였다. 소극장 옆에 있는 두 개의 사자 동상은 세월과 날씨로 인해 한쪽 눈이 빠지고 꼬리는 다 부스러졌다, 남은 한쪽 눈만이 우리를 바라보았다. 한쪽 눈만이라도 소극장을 지켜주었고, 남은 위엄을 끝끝내 보여주었다. 학원 아이들을 대본을 받고 학원에 가기 전에 계속 소극장을 서성거리고 학원에 갔다. 수한도 빠지지 않았다. 그들은 소극장에서 자신이 주인공이 되고 싶었다. 많은 사람 앞에서 자신을 뽐내고 싶었다. 그리고 환영을 얻고 싶었다. 수한은 조금 달랐다. 남들의 주인공이 아닌 그저 한 명의 주인공이 되고 싶었다. 혜민만의 주인공이 되고 싶었으며 서로 인생의 주연이 되고 싶었다. 수한은 책을 보고 또 봤다. "한여름밤의 꿈."을 보고 수한의 생각은 이랬다. 사랑의 갈림길에 선 4명의 주인공과 그걸 바라보고 있는 요정의 장난질. 책을 읽고 있는 와중 선생님에게 연락이 왔다. "수한아 너는 이번 연극에서 라이샌더를 맡게 될 거야." 곧장 노트를 피고 글을 썼다. 행복에 관한 이야기를 쓰면 쓸수록 수한은 기분이 좋아졌다.

다음 날 수한은 기분 좋게 일어난다. 시계는 7시를 가리키고 있다. 유산균을 챙겨 먹고, 물을 한 모금 마신 뒤 샤워를 하러 화장실로 들어간다. 샴푸를 하면서 머리카락을 이리저리 만져보고 우습게 머리카락을 만든다. 거울에는 다양한 감정들이 섞여 내 눈으로 비쳤다. 점점 수한은 씻는 시간이 늘어났다. 밖에 나가고 아이스 아메리카노를 한 잔시킨다. 발걸음의 종착지는 프랜차이즈 카페이다. 수한은 카페 아르바이트생이었다. 1년이 다 되어가는 일이었지만 수한은 지겹다고 느끼지 않았다. 어쩌면 항상 지겹다고 느껴서 지겹다는 느낌을 잘 모르는 것 일지도 모른다. 아르바이트가 끝나고 연기학원에 가서 자기 전

글을 쓰는 게 수한의 하루 일과다. 그리고 그것만이라도 제대로 해야 마음이 놓였다. 카페 알바를 하던 와중 혜민에게 연락이 왔다. "수한 아 너 라이샌더 맞게 된다며. 나 허미아다. 잘 부탁해." 수한은 얼른 혜 민에게 가고 싶었다. 합을 맞춰보고 싶었고 더 친해지고 싶었다. 그리 고 마음을 표현하고 싶었다. 아르바이트하면서 그의 생각은 온종일 혜 민에게 있었다. 길고 긴 아르바이트가 끝나고 수한은 혜민에게 연락했 다. "나 지금 알바 끝났는데 학원에서 봐." 스태프 방에서 복장을 갈아 입고 나서는 와중 눈이 왔다. 수한은 눈을 밟으며 뒤를 돌아본다. 270 의 신발 크기의 발자국이 눈에 정직하게 찍혔다. 경쾌한 뽀드득 소리 를 들으면서 흥얼거렸다. 학원에 도착하니 자작곡 한 곡이 다 나온 듯 한 느낌이 들었다. 학원에는 혜민이 먼저 연습을 하고 있었다. 혜민이 말했다. "수한아 올 때 눈 엄청나게 오지 않아?" 수한이 말했다. "그러 게 눈 진짜 많이 오더라." 서로 창문에서 눈 내리는 장면을 본 뒤 서로 의 눈을 확인했다. 수한이 말했다. "너 앞머리 잘랐네." 혜민이 대답했 다. "어 나 앞머리 잘랐어, 어때?" 수힌은 그 대답을 하지 못했다. 연 기를 통해 표현이 좋아졌다고는 했지만, 그의 세월 동안의 습성은 바 뀌지 않았다. 혜민이 말했다. "너 향수 뿌렸지, 냄새 좋다." 수한이 대 답했다. "냄새 좋지?" 서로를 바라보다 선생님께서 오셨다. "우리 이 제 연극제를 하니까 이제 팀별로 연습을 할 거야. 허미아와 라이센더, 그리고 디미트리어스와 헬레나가 같이하고, 다음 요정들과, 왕과 왕 비 팀으로 나눌 거야." "열심히 연습해봐. "선생님을 이 말을 하고 나 갔다, 수한과 혜민은 쪽방에 가 연습을 한다. 연기 연습을 할 수 있는 쪽방은 좁고 추웠다. 마치 엘리베이터처럼 인원 수용치가 있는 것처럼 세 명 이상이 들어오면 만원을 초과했다. 방 안에서 연습하면 할수록 둘은 가까워졌다. 장소와 대사, 눈빛 표정 그 모든 것들이 그들에게 있어 설렘으로 다가왔다. 혜민은 수한이 점점 마음에 들었고, 그가 할 고백을 기다렸다. 소설 속 인물이 나에게 해당하는 일 일수 있다고 생각했다. 연습하던 와중 수한에게 한 통의 전화가 걸려왔다. 한 통의 전화로 수한은 가슴이 먹먹해지고, 동공이 풀렸다. 다시 수화기를 들고 음성을 들어봤다. 한 번 더 들었을 때 수한은 더는 연기학원에 있을 수 없었다.

알코올 냄새가 진동한다. 이마에는 몇 방울의 땀이 흘렀는지 모르겠다. 한 발자국에 오만가지 생각이 들었고 다음 발자국에는 왠지 모를 진정이, 또 다음 발자국에는 무수한 생각이 수한의 뇌를 지배했다. 수한은 406호라는 호실을 찾고 있다. 옆에 있던 간호사가 수한에게 말을 건넨다. "어떻게 오셨어요?" "저 혹시 김숙자 씨 호실이 어딘지 알 수 있을까요?" 간호사는 그 사람이 알고 있는 듯 얼굴 근육을 썼다. "아. 따라오세요." 간호사를 계속 따라오니 406호가 보이고 병실에는 수한의 어머니가 있었다. "문 닫아 드릴게요." 간호사가 말했다. 수한은 어머니에 가까이 다가가 일상 이야기를 꺼냈다. "요즘에 즐거운 건 있어?" 수한의 어머니가 대답한다. "뭐 사는게 다 똑같지. 너도 그렇잖아." 수한이 대답한다. "그러게." 수한은 더 말을 꺼내지 않았다. 한참 그곳에서 어머니의 문병을 하다. 계산대에 가 간호사에게 병명을 물어

봤다. 선생님 말씀으로는 과로라고 한다. 흔히 있는 일은 아니지만 고된 일을 하시는 분들은 종종 있는 일이라고, 수한의 어머니가 다쳐서 괴로운 것 보다 그녀의 담담한 표정이 그를 더 괴롭게 만들었다. 그녀의 직업은 택배 기사였다. 택배를 운반하고 차를 몰았다. 남성이 주를 이루고 있는 직업을 그녀가 했을 때에 수한은 반대를 했었다. 3년이 지나고서 그는 그녀가 왜 택배기사를 하는지에 대해 잘 알지 못하지만, 느낌으로나마 알 듯 했다. 병원에 나가자 비가 쏟아졌다. 그런 날씨가 있다. 상황과 날씨가 딱 맞아 떨어지는 날이. 우산을 살 세도 없었다. 마음의 여유가 없는 까닭이 지금 수한을 비 맞게 했다. 쳐다보는 모든 사람이 우스웠고, 원망이 들었다. 병원과 집까지의 거리는 10분 거리이지만 지금으로써의 수한은 한 마리의 거북이였다. 10분이 백분 같고 천분 같았다. 정신이 온통 걷는 거 외에 쏟고 있어서 그런지 다른 걸 신경 쓸 겨를도 없었지만 지금 생각으로 집을 가야겠다는 생각밖에 들지 않았다. 수한은 집에 도착했다. 도착하니 정신이 돌아왔다. 홀로 빈방에 들어가야 한다는 걸 생각하니 마음이 아려온다. 지금 수한은 혜민이 보고 싶었다. 전화를 걸고 통화음이 들렸다. 수화기 너머로 들리는 소리는 막 잠에서 깬 갈라지는 소리였다. 수한은 학원에서 미리 나간 이유에 대해 말하지 못하고 전화를 끊었다.

다음 날 수한과 혜민은 연극제 연습을 위해 만났다. 혜민은 수한이 어제 있었던 일에 대해 신경 쓰였다, 어제보다 없는 기운과 계속 나던 향수 냄새가 나지 않는 까닭을 알고 싶었다, 혜민이 말했다. "너 어제 무슨 일 있었어?" 수한이 대답했다. "아니 별일 없었어. 한 번 연습 시작해볼까?" 혜민은 그런 수한이 답답했다. 혜민이 말했다. "나가서 밥이나 먹을래?" 학원 근처 음식점은 분식집과 비싼 스테이크 집뿐이었다. 스테이크 집은 서로에게 부담스럽다는 걸 잘 알고 있었다. 허름한 분식집에 들어가 김밥 두 줄과 라면 2개를 시켜 음식이 나오기만을 기다리고 있었다. 혜민은 어제 있었던 일을 알고 싶었지만, 그의 얼굴은 도통 알려줄 기미가 보이지 않았다. 라면과 김밥이 나오고 서로를 의식하며 밥을 먹었다. 혜민의 물컵에 물이 떨어지면 수한은 물을 따라주었고 수한이 단무지를 먹고 있으면 혜민은 단무지를 수한의 몸 쪽으로 놔주었다. 정적 속에 따스한 마음들이 뒤 감았지만 그들을 말로 표현하지 않았고 옆에 있는 타인은 그들의 마음을 알았지만 정작 그들은 알지 못했다. 수한은 말로 표현하는 것이 이렇게 어렵다는 것을 이번에야 느꼈다. 진실한 표현은 받은 사람에게 있어 뜨거운 행복이지만 하는 사람에게 있어 차가운 고뇌였다. 밥을 다 먹을 때쯤에도 그들은 진실한 이야기를 꺼내지 않았다. 수한은 모호한 감정이 싫었다. 혜민도 수한과 생각이 비슷했다. 모호한 느낌을 싫어한다. 하지만 그 둘은 서로서로 모호해한다는 사실을 알지 못했다. 서로 합을 맞춰볼수록 처음 떨림과 흥분은 사라졌다 그 느낌은 서로가 잘 알아차렸다. 좋은 감정인 건 변함없었지만, 이 끝이 사랑이라는 확신이 나오지 않았다. 연극제가 다가오면 다가올수록 그들의 감정은 점점 닳혔다.

수한은 연기를 통해 느껴지는 감정을 혜민에게 표출하지 않았다.

대신 자신의 글에 표현했다. 전보다 수한의 연필은 빠르게 닳았고 더 뾰족하게 깎았다. 연필심을 바라보면서 흑연의 검은 부분이 종이에 맞닿아 검은색 단어들이 섞여졌다. 그렇게 글을 보고 내리는 눈을 바라보고 또 자신의 눈동자를 보며 계속해서 글을 써내려갔다. 흰 눈과 검정 눈동자처럼 그의 표현은 대비 감이 있었고, 모순적이었다. 그렇게 글과 연기를 병행하다 연극제 날이 다가왔다.

　연극제 전날 리허설을 했다. 리허설은 그야말로 아수라장이었다. 3개월 정도 아니면 더한 시간을 들여야 하는 연극이지만 우리에게 가진 시간은 한 달 하고도 아주 조금의 시간이었다. 영화로 친다면 원테이크 방식을 사용하는 연극은 완벽해야 했고, 근사해야 했다. 시간과 능력 두 마리의 토끼가 없는 그들은 해낼 방도가 없었다. 관객으로 하여금 이성이 먹히지 않는다면 감정으로 보여주어야 했다. 노력의 숭고함을 연극 속에 나열하는 것. 그것이 티 끝 같은 노력일지라도 조금이나마 느끼게 그들은 행해야 했다. 수한은 이른 시간 소극장에 도착했다. 앞서 온 아이들 몇 명과 선생님께서 보인다. 걸어가는 중 마침 누군가 택시에 내렸다. 혜민이었다. 혜민은 택시에서 내리고 수한에게 말한다. "우리 열심히 노력했잖아 리허설 때 주춤했지만, 열심히 해보자." 수한은 대답 없이 가볍게 고개를 끄덕였다. 선생님이 말했다. "이제 결실을 볼 시간이야, 우리가 했던 노력이 헛수고가 아닌 것을 관객들에게 보여주자, 파이팅하자." 이 말을 듣는 와중에도 수한은 굳은 결심을 하지 않았다. 어떻게 말하는지 보다 어떻게 받아들이는지가 대화할 때 중요했다. 수한은 글과, 어머니, 혜민과 연극까지 생각하기에 마음이 복잡했다. 글은 이대로 잘 나올지, 어머니는 퇴원하셨는지, 혜민에게 이미 다 식어버린 마음이지만 표현할지, 연극은 또 잘 될지, 관객은 어떻게 느낄지, 너무 많은 생각이 한순간에 들어와 다음에 선생님의 말씀에도 전혀 귀 기울이지 않았다. 연극의 구성은 3부작으로 구성된다. 1부작은 사랑의 시작 2부작은 요정의 장난 3부작은 농부들의 연극으로 부작을 나누었고 약간의 각색이 들어간 내용이다, 1부작에서는 남녀 간의 사랑을 다루다 2부작에서 한 요정이 마술을 걸어 다른 사람을 사랑하게 하여 혼란을 주고 마지막 3부작에는 그들 간에 있었던 코믹한 사랑이야기를 왕과 왕비에게 연극으로 표현하는 농부들이 주가 된다. 수한은 팸플릿에 내용을 읽어본다. 팸플릿에 눈물 자국이 하나 둘 씩 떨어진다, 수한은 눈을 만져본다. 그의 눈에서 나오는 물은 아니었다. 고개를 들어본다, 잔뜩 낀 구름에서 나온 비가 수한의 손에 있는 팸플릿에 표현되고 있었다. 비는 학생들을 빨리 대기실 안으로 들어가게 했다. 대기실 안에는 갖가지 장비들과 화장대, 알 수 없는 화면이 있었다, 화면에 지나가는 혜민이 비친다, 수한이 말한다, "혜민아 연습 열심히 했어?" 혜민은 가벼운 미소와 함께 말했다. "누가 잘 참여 안 한 덕분에 아주 잘했지. 파이팅 해보자!" 혜민은 그 말을 건네고 수한을 바라보았다. "이거 연극이다? 실제처럼 마음을 담지만 진짜로 나 좋아하면 안 된다?" 혜민은 긴장하면 말이 많아진다, 수한의 긴장된 모습이 보이자 덩달아 자신도 긴장됐다. 혜민은 자신이 긴장한다는 모습을 남에게 보여주고 싶지 않았다, 항상 밝고 분위기를 풀어주는 이미지를 가졌고 그 이미지는 자신이 지켜야 한다고 믿었다. 혜민의 많은 말 공격에 수한은 긴장이 풀렸다. 혜민이 말을 계속하면 수한의 긴장이 풀리고, 서로 정적인 상황이 되면 오히려 혜민은 긴장했다. 그렇게 어긋난 대화 끝에 점차 몰려오는 관객들이 있었다.

　공연이 시작되기 몇 분 전 수한은 공연 뒤에 있는 긴 커튼을 열어 관객들을 바라보았다. 관객의 눈은 별빛 같았다. 작은 점들과 그 점들이 가지고 있는 반짝이는 별빛들이 수한을 쳐다본다. 그 별들은 지구를 끌어당긴다, 내가 지구가 된 기분. 세상의 중심이 되고 운석을 막아주고, 지구 안에 있는 생명체들을 살아 숨 쉬게 한다, 지금 수한은 지구와 같았다. 커튼 안으로 들어와 숨을 고른다. 첫 숨에 혜민이 생각나고 두 번째 숨에 자신이 쓰던 글이 생각났다. 세 번째 숨을 쉬지 않고 수한은 무대로 나갔다. 하얀 불빛이 수한에게 비친다. 그 후 혜민의 눈을 한 번 보고 연극이 시작됐다.
　테세우스가 나오고 히폴리타가 처음 무대에 서게 된다. 그리고 머지 않아 허미아가 먼저 나가고 그 뒤로 라이센더가 나왔다. 4명이 나와 서로 이야기하며 관객에게 멋짐을 뽐냈다. 수한이 말했다.
　"우리의 마음을 너에게는 밝힐게. 우리는 내일 밤 달의 여신 포이베가 칼날 같은 풀잎에 진주 이슬 달아 주며 자신의 온빛 얼굴 무거울에 비춰 볼 때 아테네 성분을 빠져나갈 작정이야." 그리고 혜민이 말했다.
　"그리고 숲 속에서. 너와 내가 여러 번 가슴속의 달콤한 비밀을 쏟아 내며 파리한 앵초꽃 침대 위에 누웠던 곳, 그곳에서 라이센더 난 만

날 거야."

수한이 말했다.

"그럴게."

혜민이 말했다.

"잘 있어 헬레나."

저 말을 한 후 둘은 퇴장했다. 혜민이 말했다. "야 너 뭐냐?, 연습 안
한 줄 알았는데. 완전 잘하잖아?" 수한이 활짝 웃으며 말했다. "내가
무대체질이라." 수한과 혜민은 가벼운 농담 섞인 말을 하며 무대를 봤
다. 무대에는 열기가 있었다. 열정과 신이 남과 땀방울이 하나 되어 공
기 중에 퍼졌고 수한은 그 향을 맡았다. 그 향은 어떠한 향수보다 깊고
진했다. 자신도 모르게 향에 취해있다 2부가 시작됐다. 2부에서는 남
자와 여자가 쌍으로 2명이 나오고 추가로 요정도 함께 나왔다. 수한은
아까의 향에 매료되어 불안함이 사라졌다. 오직 대사에 집중했고, 또
집중했다. 이 열의를 관객에게도 느끼게 하고 싶어 했고 심장은 더욱
빨리 뛰었다. 땀방울이 수한의 목에 셀 수 없이 흘렀고 그의 눈은 청명
했다. 수한이 말했다.

"당신을 좋아하오."

수한의 대사가 끝나고 마침 천둥과 번개 소리가 난다. 그리고 수한
은 눈을 감았다. 비록 대사지만 떨리는 마음은 어쩔 수 없었다. 혜민
의 눈을 쳐다보지 못하고 본인의 숨소리에 집중했다. 타오르는 심장
이 누그러들고 관객의 반응을 살폈다. 관객들은 수한의 고백에 환호했
다. 수한은 부끄러움이라는 눈꺼풀을 벗어던지듯이 조심스레 눈을 떴

다. 검은색 배경이 나타났다. 혜민을 보았지만, 혜민이 보이지 않았다. 관객도 보이지 않았다. 관객들의 환호는 다시 듣게 되니 잡담과 허망한 탄식이었다. 공연장 공연장에 불이 모두 꺼진 것이었다. 아까의 천둥 번개의 탓에 정전됐다. 수한은 정전이 됐다는 사실을 알기까지 시간이 걸렸다. 첫 번째에 위치에 있는 1번 조명 한 개만 불이 켜지고 구두 소리가 들렸다. 선생님께서 단상에 올라와 빛과 함께 관객석을 바라봤다. "안녕하세요. 공연은 잘 보고 계신가요?" 시시콜콜한 대화 끝에 나온 정답. "어 지금 조명 문제 때문에 연극을 진행하는 게 어려움이 있는 것 같아요. 관객들은 이제서 상황파악을 하고 무대를 집중했다. "그래도 우리 학생들 열심히 노력한 게 보이죠?" 가벼운 농담 섞인 말로 분위기는 환기됐다. 왼손과 오른손이 합쳐지는 소리. 박수소리가 들린다. "감사합니다. 아쉬움을 뒤로하지만 앞으로 더 좋은 무대를 완성할 테니, 다시 여러분에게 서는 그날까지 지켜봐 주세요. 감사합니다." 박수소리는 마치 초심자의 행운 같았다. 어떤 것을 하던 용인되는 첫 번째의 행운. 지금과 같았고 앞으로는 다시 없을 감사함이었다. 박수소리가 점차 줄어들고 발걸음 소리가 대신했다. 점차 사람들이 나가고 뜨거운 열기가 차가운 한기로 바뀌기까지는 얼마 걸리지 않았다. 단상에 서 있는 인원들은 그 느낌을 고스란히 느꼈고 관객과 같이 나가야 되느냐는 생각마저 들었다. 하지만 공연을 한 모두가 섣불리 단상을 떠날 수 없었다. 단상을 떠나면 주인공에서 그들과 다를 것없는 똑같은 사람이라는 것을 인정할 수 없었다. 한 명이 말했다. "불이 꺼졌지만, 우리끼리라도 연극을 마무리하는 건 어때?" 다른 인원들이 찬성했다. 수한은 그 말에 찬성하지 않았다. 연극이 어설프게 끝났고, 천둥과 번개가 수한과 혜민의 사이를 갈라 논 것 같은 생각이 들었다. 또한, 고백 장면에서의 멈춤이란 수한은 고백에 실패한 느낌까지 들었다. 수한은 어수선한 분위기가 싫었다. 곧장 대기실로 들어가 짐을 챙기고 공연장을 빠져나왔다. 천둥·번개는 그쳤지만 아직 비가 많이 쏟아지고 있다.

수한은 비를 맞으며 걸어간다. 불안함이 계속되어 뭐라도 해야 했고 수한은 계속 걷는 걸로 암담한 기분을 달래주었다. 불현듯 떠오른 생각이 수한의 걸음을 재촉했다. 양말과, 옷가지는 다 젖고, 수한의 메이크업마저 다 지워졌을 때 병원에 도착했다. 문을 여니 병원 카운터 앞에 있는 대기인원들이 빤히 쳐다봤다. 비에 젖은 생쥐 꼴을 한 수한은 다른 사람들에 눈요깃거리였다. 수한은 방금 있었던 공연이 생각났다. 모든 사람이 나를 바라보는 느낌. 주인공이 된 기분이었고, 그 덕분에 콧노래를 부르며 카운터에 가 수한의 어머니 이름을 댔다. 간호사의 말이 나왔다. "어 손님 406호실분 어제 퇴원하셨어요." 안도감과 불안감이 한꺼번에 찾아왔다. 어머니가 퇴원했지만 있어야 할 자리에 없는 찜찜한 기분이 들었다. 문자 한 통 없이 퇴원해 버린 사실이 어처구니도 없었다. 끔찍한 기분을 마주하고 싶지 않아 수한은 병원에 나왔다.

병원에 나가자 문자 한 통이 왔다. 혜민의 문자였다. 약간의 웃음을 띤 수한은 혜민의 문자 알람을 보고 글을 읽지 않았다. 핸드폰을 내리고 주변을 둘러보았다. 병원 정문 앞쪽에는 큰 쓰레기통이 한 개 덩그러니 놓여 있었다. 수한은 가방을 꺼내고 노트를 손에 쥐었다. 조심스레 펼쳐보아 작성한 글들을 보았다. 천천히 숨을 돌리고 노트를 쓰레기통에 고히 모셔놓았다. 그 후 수한은 하늘을 봤다. 비만 왔던 전과 다르게 눈과 비가 함께 오는 진눈깨비가 수한의 눈으로 쏟아졌다. 수한은 한참 동안 눈과 비가 같이 오는 날씨를 바라보았다.

end.

고마워, 뮌헨!
:삶의 태도 그리고 여유

지선

지선

지은이_지선
평소에 산책을 좋아한다. 밖에 나가 걷다 보면 평소에 그냥 지나쳤던 것
들도 잘 보이기도 한다. 밖에 나가서 산책하며 만나는 여러 날씨와 계절
이 좋다. 따라서 항상 같은 길을 걸어도 설렘이 가득하다. 산책은 오로지
나에게 집중하는 시간이다. 아주 소소한 일상이지만 나에겐 아주 특별하
다. 특별한 시간이 쌓여 이야기되고 글이 되는 시간을 좋아한다. 나는 행
복한 사람이다.

instagram: @name.mseo
blog: https://blog.naver.com/puhaha4618
brunch: https://brunch.co.kr/@seobook

뮌헨에서도 걷는다.

    독일에 도착 후 짐을 다 풀지도 못한 채 샤워를 하고 바로 잠이 들었다. 독일과 한국은 8시간 차이가 나기 때문에, 숙소에 도착하니 우리나라 시간으로 새벽 3시였다. 다음날 일찍 깼다. 눈을 뜨고 바로 보고 싶었던 건 뮌헨의 하늘이었다. 새벽녘 하늘은 조금 어두웠고, 황금색 해가 떠오르고 있었다. 주택 지붕 하나하나에 햇살이 비추고 있었고, 점점 밝아지더니 파란 하늘이 나타났다. 그 모습을 보니 내가 진짜 독일에 왔구나 실감났다. 신랑이 일 때문에 6개월 연수를 하는 동안, 한 달을 함께 하기 위해 아이와 나는 뮌헨에 왔다. 숙소는 뮌헨에 위치한 Germering(게머링) 이라는 마을이었다, 창밖을 보니 아직 아침이라 다니는 사람들은 없었는데, 기본적으로 작은 마당과 2층~3층으로 이루어진 주택들이 모여 있는 마을이었다. 일어나서 우리 세 가족은 동네를 구경했다. 대문을 열고 나와 10분 정도 걸으니 큰 마트와 작은 상점들이 보였다. 과일과게는 바구니 가득 과일이 담겨져 먹음직스럽게 보였고 빵가게에는 아침이라 갓구은 빵냄세가 골목을 가득 채웠다. 그중에 작은 젤라토 가게가 보였다. 알록달록한 색을 가진 젤라토가 통에 맛 별로 담겨져 있었다. 우린 알베르토라는 빅사이즈 젤라토를 주문했는데, 주문과 동시에 가게 사장님은 본인 이름이 알베르토라고 웃으면서 말했다. 그 후로 우린 한달 동안 젤라토 가게 단골 손님이 되었다. 신랑은 들뜬 목소리로 말했다. "오늘은 사람이 없는데 젤라토가게는 우리 동네 핫한 장소야. 주말에 사람들 줄 서서 먹는 거 봤어." 한 달 먼저 독일에 들어온 신랑은 아이와 나에게 자기 동네인 만 냥 신이 나서 이곳저곳 설명해 주었다. 나는 여기가 첫날 부터 좋았다. 잘 지내보자고 마음 속으로 인사했다.

우리가 뮌헨에 도착하고, 3일째 되는 날, 주인집에 방문했다. 집주인 내외분은 한국분인데 대학교 때 독일로 유학을 와서 결혼하고 아이를 낳아 교육하고 여기서 직장생활을 하면서 터전을 잡았다고 했다. 그렇게 급하게 뮌헨으로 온 아이와 나를 반갑게 맞이해 줬다. 사장님 부부가 웃으면서 말했다. "뭐 그렇게 어려운 코스 아닙니다. 2시간 정도만 가면 돼요. 아이는 운동을 해서 걱정이 없겠는데, 엄마는 괜찮겠어요?" 사장님 부부가 다른 지인들과 함께 알프스산맥 트레킹을 하러 가는 데 함께 가자고 제안하셨다. 쉬운 코스라고 하셔서 그때는 몰랐다. 우리가 갈 길이 왕복으로 6시간이 걸릴 거라는 것을.

내가 언제 알프스산맥을 트레킹해 보겠어. 알프스산맥에서 트레킹이라니. 아이에게도 멋진 경험이 될 거야 하며 설렜다. 알프스는 유럽의 중남부가 있는 산계로 스위스, 프랑스, 이탈리아, 오스트리아에 걸쳐져 있다. 신랑과 나 아이 셋 만 트레킹을 하러 간다고 마음 먹었다면 어디로 가야 할지? 어떻게 가야 할지? 막막했을 것이다. 또한 현지 분들과 가는 거였기 때문에 사람들이 많이 몰리는 관광지가 아닌 현지인들만 알고 찾아가는 알짜배기 트레킹 코스 임이 분명했다. 하지만 우리 부부는 말했다 "괜찮습니다." 이 문장은 '좋지만 죄송하다'는 표현이었다. 트레킹은 좋지만 사장님 부부에게 민폐를 끼칠까 봐 염려되어서 했던 말이었다. 그 말을 듣고 사장님께서 말했다. "한국에서 처음 독일에 와서 주변 사람들이 음식이나 무엇이든 권하면 '괜찮습니다'라고 말했어요. 한국 같았으면 내가 괜찮다고 말하면 인사치레라도 다시 권하잖아요. 독일은 권하지 않더라고요. 그래서 먹고 싶어도 못 먹거나 배고픔을 참은 적이 많았어요. 독일이란 나라는 확실한 대답을 좋아해요. '싫다.', '좋다'라고 대답하면 돼요. 내 주장을 말하는 게 잘못된 게 아니더라고요. 여기는' 괜찮다'라는 말이 더 불편할 수 있어요." 그래서 우리는 대답을 고쳐서 다시 말했다. "좋습니다" 지나친 배려에서 생긴 언어의 벽이었다. 대답을 고쳐 말하고는 생각보다 내 기분이 좋아져서 놀랐다. 내가 원하는 생각과, 겉으로 나오는 말이 일치한다는 사실이 스스로 기뻤다. 평소에 괜찮다는 말을 많이 하는데 좋은것도 싫은것도 아닌 대답이었다. 나도 이 대답이 싫었다. 뮌헨 여행을 통해서 나 자신을 바꾸는 계기가 되면 좋겠다. 생각했다. 그 뒤로, 독일에 있는 동안 의식적으로 나 자신에게 집중하려고 노력했다. 트레킹을 제안해 주셔서 정말 감사했다. 인기 많은 관광지였다면 사진 찍는 곳마다 사람이 걸쳐져 광활한 자연을 카메라에 담지 못했을 것이다. 사장님 부부와 함께 간 현지 분들 덕분에 우리 세 가족은 아주 소중하고 귀한 자연을 보고 우리에게 집중할 수 있는 시간을 가졌다. 우린 운이 좋았다. 좋은 분들을 만나서 좋았고, 트레킹을 할 수 있어 좋았다. 그리고 괜찮습니다. 보다는 좋습니다라고 대답할 수 있어 좋았다.

알프스산맥 트레킹 왕복 6시간

우리 모두 트레킹 후 돌아오는 기차 안이었다. 기차 출발 후 얼마 지나지 않아 파란 하늘에 동그란 일곱 색깔 무지개가 선명하게 떴다. 무지개를 막아서는 건물이 없어서일까? 그렇게 커다란 무지개는 세상에 태어나 처음 이였다. 기차는 계속 달렸다. 무지개는 우리와 가까이 더 가까이 다가왔다. 솔직히 입고 있던 옷은 비에 젖었고, 머리는 모자를 썼지만, 안 봐도 뻔했다. 신발과 바지는 진흙과 소똥에 이리저리 치여 만신창이였다. 왕복 6시간 트레킹으로 몸이 많이 힘들었다. 발목은 뻐근하고 발바닥과 허리도 아팠다. 안 아픈 곳이 없었다. 당장 눕고 싶었다. 하지만 내 몸과 다르게 마음만은 맑은 이었다. 반대편으로는 해가 지고 있었다. 주황색, 붉은색, 노란색이 뒤섞인 노을이 넓은 들판을 물들이고 있었다. 아이는 설렘 가득한 표정으로 무지개를 보며 오늘 트레킹하며 봤던 여러 날씨와 자연 대해서 조잘조잘 끝없이 이야기하고 있었다. 함께 이야기하며 나도 설렜다.

　트레킹하러 가는 당일 아침, 눈을 뜨니 비가 오고 있었다. 독일은 해가 쨍하다가도 갑자기 비가 내려서 외출할 때 항상 창문을 닫고 나가야 했다. 우산을 챙기는 건 필수였다. 우산을 챙겨 나가지 않아 갑작스러운 비에 옷을 홀딱 젖은 날도 대다수였다. 하필 오늘 아침부터 비가 오다니. 안 그래도 힘든 길에 비까지 온다고 하니 아이가 걱정됐다. 하지만, 지금 내리는 비가 나중에 어떻게 기억으로 남을지 모른 채 막연하게 걱정부터 앞섰다. 산에서 먹을 간식으로 프리챌 빵과, 갈릭 크림 치즈, 삶은 달걀, 사과를 챙겼다. 그리고 비옷도 챙겼다. 긴 여정이었기에 아침 일찍 서둘러 나갔다. 가게를 여는 사람과 찾는 사람들로 마을이 붐볐다. 자전거를 타고 움직이는 사람들도 많았고, 지나가면서 "세어 부스~"라고 서로 손을 흔들며 인사를 했다. 스스럼없는 인사에 흠칫 놀랐지만, 발걸음이 가벼워 졌다. 우리 모두 S-Bahn(에스반:독일의 지하철) 을 타고, 뮌헨 중앙역에 내려서 기차로 갈아타야 했다. 함께 출발하기로 한 다른 지인분들은 뮌헨 중앙역에서 모여서 기차를 갈아타고 트레킹 출발지로 향했다. 기차는 우리나라 기차보다 창문이 더 컸는데, 그래서 그런지 독일의 풍경을 눈에 담으며 갔다. 그중 가장 놀라운 풍경은 작은 호수였다. 호수 주변으로 초록색 잔디밭이 넓게 펼쳐졌다. 잔디 위에는 오두막집 몇 채와 풀을 뜯어 먹고 있는 소가 보였다. 배경은 초록색 산이었고, 파란 하늘이었다. 한국에서는 볼 수 없는 풍경이라서 그런지 입이 딱 하고 벌어졌다. 보는 순간 와라는 추임새가 절로 나왔다. 왜 창문을 이렇게 크게 만들어 났는지 알 것 같았다. 나는 영상과 사진으로 남겼다. 지금 그 사진과 영상들은 힘들 때 꺼내 보는 소중한 보물과도 같다. 비가 와서 호수에 물안개가 퍼져 있었다. 그래서 더 멋져 보였다. 뮌헨에 도착하고 첫 가족여행이었다. 그 풍경을 함께 보고 있는 아이의 표정도 설레어 보였다.

기차로 1시간 반 정도 달려 도착한 곳은 독일 바이에른주에 바 이리수 챌 이라는 지역이었다. 우리가 트레킹할 장소 였다. 기차에 내려 주위를 둘러봤다. 우리가 선 기차역에서 알프스산맥으로 보이는 산들이 마을을 앞뒤로 둘러싸고 있었다. 마을은 그림처럼 아름다웠다. 많은 비는 아니지만, 조금씩 오고 있었다. 비가 와서 그런지 산꼭대기에 걸쳐져 있는 구름이 더 운치 있어 보였다. 함께 온 다른 분들은 기차에서 내려 등산 장비를 정비하느라 분주했다. 걷는 거에는 자신이 있던 우리 세 가족은 신발 끈을 단단하게 다시 묶으며, 서로에게 응원을 보냈다. 기차역에서 트레킹 출발 지점을 향해서 걸었다. 작은 마을이었는데 2,3층으로 만들어진 집들이 모여 있었다. 신기했던 건 지붕이 모두 빨간색이었다. 붕어빵틀로 찍어 낸 듯 마을에 있는 집들이 하나같이 똑같이 생겼었다. 여러 집을 사이에 두고 중간에 작은 시냇물이 흐르고 있었다. 우린 시냇물을 따라 길을 걸었다. 물은 정말 맑았다. 트레킹하러 가는 길이 아니었다면 발이라도 담그고 싶었다. 작은 마을이라서 조용하고 더 아늑하게 느껴졌다. 트레킹을 멈추고 이 마을에서 며칠 머물며 휴양하고 싶었다. 아침에 눈을 뜰 때마다 지금 보고 있는 아름다운 풍경을 매일 매일 보고 싶었다. 하지만 우리는 트레킹하러 가는 중이었고, 아쉽지만 발걸음을 돌려 서둘렀다. 선두에 말하지만, 지금 내가 가려는 산은 이 보다 더 아름다웠다. 아름답다고 표현할 수 없을 만큼 말이다.

　트레킹을 시작하자마자 처음부터 가파른 비탈길이 계속 이어졌다. 비도 오고, 돌도 많아서 올라가다가 발을 헛디디면 미끄러지기도 했다. 여기가 바로 내가 말로만 듣던 알프스산맥이구나…. 알프스산맥하고 인사를 나누려 할 때 딸아이가 기운 없이 말했다 "엄마 나 속이 너무 안 좋아. 토할 것 같아." 기차를 타고 오면서 멀미해서 속이 안 좋다고 말했다. 아이는 오르막을 바로 오르면서 안 좋았던 속이 빨간색 신호를 보낸 거였다. 아이를 데리고 알프스산맥 어딘가를 오른다는 건 무리였나? 라는 생각과 동시에 아이는 알프스산맥 어딘가에 자기 토사물로 영역 표시를 했다. 자연 앞에서 이게 웬 날벼락인가? 내가 이것을 보려고, 한국에서 13시간 비행기를 타고, 독일에 왔나? 나는 기능성이라고는 눈뜨고 찾아볼 수 없는 예쁜 운동화를 신고, 산길을 오르고 있나? 내 여행 계획에 트레킹이라는 단어는 없었기에, 등산화도 등산복도 없었다. 아이와 나에게 화가 나는 부분을 다른 것에 분풀이하고 싶었는지도 모르겠다. 함께 간 지인분들께도 죄송한 마음이 들었다. 그 순간 알프스산맥이 전혀 예뻐 보이지 않았다. 갑자기 비가 많이 왔다. 아이와 나는 비옷을 꺼내 입었다. 아이는 한번 올리고 나니, 산길을 날아다녔다. 다행이었다. 나는 지금 얼마쯤 올라왔을까? 이 산에 정상은 있을까? 큰 비옷 때문인지, 아니면 내 마음 때문인지, 몸이 물에 젖은 솜방망이가 된 것 같았었다. 나는 울퉁불퉁한 산길을 오르는 게 힘들었다. 함께 출발한 분들은 나이도 많으신데 얼마나 힘들지 생각했다. 하지만 그건 내 생각이었다. 젊은 나보다도 더 잘 올라갔다. 함께 간 분들의 평균 연령은 70대 초반이었다. 한국에서 태어나서 독일에 넘어가 간호사로 일하면서 결혼도 하고 자식을 낳고 수십 년을 이 땅에서 꿋꿋하게 살아온 인생처럼 오로지 자신이 걸어야 할 길만 보고 산을 오르고 있었다. 몇 분은 다리가 불편하신지, 무릎에 보호대를 착용하고 비탈길을 오르고 있었다. 그분들은 우리보다 더 베테랑이었다. 서로가 힘들고 뒤처질 때 말하지 않아도 기다려 줬다. 내가 뒤처진다고 해서 타인 눈치 주지 않았다. 함께 가는 이들이 있었지만, 의식하지 않고 본인 템포에 맞춰 올라갔다. 남편분은 독일 분이었다. 남편분은 가끔 아이에게 맛있는 간식도 챙겨 주시고, 산에서 나는 열매와, 풀들을 뜯어 서툰 영어로 설명해 줬다. 제 생각을 솔직하게 말하는 그분들의 선의는 담백하고 거북하지 않았다. 집주인 사장님 부부의 말씀처럼 우리도 [괜찮습니다.] 라는 말보다는 다른 언어로 표현하려고 노력했다.

산은 오른 지 1시간 반쯤 되었을 때, 함께 가신 지인분 중 한 분이 말했다. "이제 곧 탁 트인 시야가 펼쳐질 거예요." 그분이 말한 [곧] 이라는 단어를 국어사전에 찾아봤다. 사전에 의하면 **(때를 넘기지 아니하고 지체 없이)** 라고, 해석되어 있었다. 어쩜 이토록 찰떡같은 단어가 있는지. 곧 내 눈앞에 보고도 믿기 힘든 웅장한 산이 보였다. 다시 말하면 바로 앞에 보이는 산부터 저 멀리 보이는 산까지 자기 모습을 과시하고 있었다. 산은 살아서 움직일 수 없는 것이 당연한데 물, 햇빛, 공기, 바람, 식물들이 함께 어울려져 살아 움직이는 것 같았다. 그렇기에 사진으로 담기 힘들었다. 왜냐하면 그 생동감이 사진에 담을 수 없었기 때문이다. 다만 내 머릿속에 여러 장의 사진과 영상으로 남아 있었다. 그리고 생각했다. 내가 지금 자연이라는 다른 세계에 들어와 있구나. 작아지는 내 존재에 미안할 정도로 나 자신이 저 산 아래 보이는 집처럼 한없이 작아지는 것 같았다. 힘들다는 것을 알고 출발했지만, 힘들어서 신랑에게 툴툴거려서 미안하다는 생각이 들었다. 너무 힘들어서 도저히 못 올라갈 것 같았던 마음이 또 오고 싶다는 마음으로 바뀌는 데까지 몇 초가 걸리지 않았다. 모름지기 산을 오르는 것은 힘든 것이 당연했다. 힘들다는 마음을 스스로 인정 하고 산을 올랐다면, 그 산을 오르는 과정이 더 즐거웠을 텐데, 후회됐다.

알프스 소녀 하이디를 만난다면

알프스 하이디가 이 세상에 살고 있다면, 이곳에 살 것 같았다. 난 알프스 하이디 책을 항상 상상하며 읽었다. 통나무로 지어진 집과 소녀 하이디와 친구들이 뛰어놀던 잔디밭 말이다. 지금 보고 있는 풍경은 믿기 어려울 만큼 책 속 풍경과 닮아 있었다. 세모 지붕을 가진 통나무집이 있었고 집 둘레에 나무 울타리가 쳐져 있었다. 울타리 안 마당에는 나무로 만든 테이블과 의자가 있었다. 추가로 산을 오르는 사람들이 바람과 비를 피할 수 있도록 지붕 아래 긴 벤치 의자가 놓여 있었다. 우리 모두 비에 젖지 않은 지붕 아래 벤치와 일렬로 나란히 모두 앉았다. 산에는 방목하는 소가 여기저기 풀을 뜯어 먹고 있었는데, 소들이 움직일 때마다 '땡그랑','땡그랑' 종소리가 났다. 종소리는 어떤 음악보다 잘 어울리는 배경음악이었다. 가까이에서 본 나무집은 작지 않지만, 산 중턱에 자리 잡아서인지 아주 작아 보였다. 산이 높아 통나무집이 구름위 비가 내리는 경계에서 벗어난 듯 신기하게 더 이상 비가 오지 않았다. 우린 그곳에서 조금 시간을 보냈다. 이 집은 산에서 소를 키우면서 지내는 터전이기도 했고, 산을 오르는 사람들이 중간에 쉬어 갈 수 있는 곳이기도 했다. 통나무집 부부는 아주 친절했다. 맥주와 간단한 간식거리를 팔았다. 신랑은 들어가서 맥주를 한 병 사서 나왔다. 우리 부부는 풍경을 안주 삼아 벌컥벌컥 나눠 마셨다. 예전 같았으면 술을 마시는 내가 어떻게 보일까 신경을 쓰여서 맥주를 사양했을 텐데, 그런 눈치를 보지 않고 행동 할 수 있어서 기분이 이상했다. 다리도 아팠고 두통도 있었지만, 맥주 한 모금으로 아픈 곳이 사라지는 것 같았다. 지금도 생생하게 기억 했다. 파란 하늘엔 하얀색 구름이 떠다녔고 비가 와서 약간의 안개와 이슬을 촉촉하게 머금은 바람이 불어왔다. 그 순간 목구멍으로 타고 내려오는 따끔한 느낌의 맥주와 코로 숨을 내뱉을 때 진한 맥주의 향이 풍겨 나왔다. 순간 내가 다른 사람이 된 것 같은 기분까지 들었다.

우리는 이곳에서 점심을 먹기로 했다. 우리가 포장해 온 프리첼과, 삶은 달걀을 꺼냈다. 함께 가신 분들도 포장해 온 음식을 꺼내어 서로 나눠 먹었다. 독일엔 깻잎이라는 야채가 없는데, 손수 마당에서 기르셨다고 깻잎을 넣은 샌드위치를 주셔서 먹었는데, 먹는 거에 특별히 예민한 편이 아니지만 벌써 한국에 맛이 그리워졌다. 모두 서로가 가지고 온 음식을 나눠서 먹었다. 식사를 마친 후 산 정상까지 올라가기로 모두 입을 모았다. 원래는 지금 휴식하고 있는 이곳이 목표 지점이었다. 오늘 함께 온 분들도 이런 다양한 날씨와 분위기 있는 산은 처음이라서 더 오래 이 산에 머물고 싶다고 하셨다. 그렇게 우리는 다시 짐을 챙겨 더 높은 곳으로 걸어서 올라갔다. 통나무집에서부터는 왔던 길과는 다르게 끝없이 펼쳐진 초원과 높이 솟은 산들과 나는 어깨를 나란히 하고 걷고 있었다. 우리들의 출발을 반기듯 가는 길에 소들이 유유자적 풀을 뜯고 있었다. 나도 알프스 소녀 하이디에게 인사 했다.

알프스산맥과 한글 이름 세글자

드디어 목표로 삼았던 산꼭대기 정상에 도착했다. 정상에는 아주 큰 쇠로 만든 십자가가 박혀 있었다. 그 모습은 종교를 떠나, 웅장해 보였다. 개구리가 작은 우물 안에서 밖으로 나와 더 넓은 세상을 본 기분을 묻는 다면, 지금 바로 내 기분일 것이다. 내가 3시간 이상을 올라 목표한 정상에 도착했을 때 나 스스로 뿌듯함을 느꼈다. 동시에 슬프기도 하고 기쁘기도 하고 서운하기도 했다. 왜냐하면 여기까지 오면서 힘들었던 순간, 광활한 자연을 눈으로 보며 벅찼던 순간들이 내 기억에 교차하면서 지나갔기 때문이다. 내 자아와 영혼이 내면에서 세상으로 튀어 나와 자유로워지는 기분이었다. 솔직히 영혼이 튀어나오는 경험은 해본 적 없었다. 영혼이 튀어나오다니. 그만큼 산 정상에서의 느낌은 강렬했다. 정상에는 바람이 거세게 불어서 추웠다. 챙겨온 두꺼운 점퍼를 챙겨 입었다. 바람에 내 몸이 날려 하늘을 날아 보고 싶은 충동을 느꼈다. 그 대신 아이의 손을 꼭 잡았다.

나는 무엇을 생각 하면서 올라 왔을까? 높은 곳에서 아래를 내려보니, 생각이 많아졌다. 처음엔 남들이 해보지 못한 것에 대한 허황된 마음도 컸다. 하지만 왕복 6시간 아이와 신랑의 손을 잡고 걷고 또 걸었던 알프스산맥의 트레킹은 나를 돌아볼 수 있는 시간이 충분했다. 며칠 전 사장님 부부가 말씀 하신 이야기가 생각났다. 남을 의식하며 비교하지 말고 솔직하게 있는 그대로 대답하면 된다는 말이었다. 함께 가신 지인분들도 사장님 부부처럼 우리에게 비슷한 메시지를 계속 주셨다. 타인을 의식하지 말라는 말이었다. 평소 가장 싫어 했던 내 모습이었다. 나는 내면에서 생각하는 것과 겉으로 표현할 때가 다른 사람이구나. 왜 타인의 시선을 의식 하는 겨지? 그런 생각들이 덮칠 때마다 사실 불안했다. 목표지점에 도착 후 그런 불안은 없었다. 산 정상에서 뭐라 표현 할 수 없을 만큼 아주 후련했다. 내려오는 길에는 해가 났다. 입은 외투가 더웠다. 우리 모두 갔던 길을 그대로 되돌아 내려왔다. 올라갈 때는 그렇게 높았던 산길이 내려올 때는 금방이었다. 나와 어깨를 나란히 했던 산들이 키가 더 커졌을 때쯤 우린 산 아래에 도착했다. 내려와 다시 그 산을 올려봤다. 출발할 때 보이지 않았던 산 위에 십자가가 서있는 모습이 보였다. '내가 저렇게 높은 곳에 올라 갔다왔구나.' 앞으로 세상 더 높은 곳도 올라 갈 수 있을 것 같았다.

아이가 산 정상에 도착해서 방명록에 글을 남겼다. 아이는 다른 글을 남긴 게 아니라 자신의 이름 세글자를 적었다. 긴 글보다 더 많은 의미를 담고 있는 듯했다. 나는 집으로 돌아오는 기차 안에서 아이에게 물었다. "방명록에 이름을 남길 때, 어떤 느낌이었어?" 아이는 생각하더니 눈가가 촉촉해지면서 말했다. "내가 이렇게 높은 곳까지 올라왔다고 생각하니 뿌듯했어, 반면 힘들었기 때문에 눈물이 날 것 같았어. 나 자신에게 감동했던 것 같아" 나는 다시 물었다. " 근데 왜 이름을 남겼어?" 아이는 대답했다. "오늘 내가 느낀 걸 다 적을 수 없었어. 내가 쓴 한글 이름이 다른 나라 사람이 와서도 봤으면 좋겠다는 생각에 적었어." 아이 표정은 웃는 것 같기도 우는 것 같기도 했다. 그리고 설레어 보였다. 아이는 오늘 산에 올라오면서 무엇을 느꼈을까? 우린 아주 넓은 세계 속에서도 작은 일부분에 올라왔을 뿐이었다. 하지만 여태 우리가 지냈던 작은 세계에 비해서는 아주 큰 세상이었다. 나는 더 넓은 세계로 나가고 싶었다. 내 나이 40살이 되어 보고 느낀 것을 아이는 11살에 보고 느꼈다. 평소 감수성이 풍부한 아이는 나와 비슷한 것을 느꼈을 것이라고 짐작했다. 심장이 두근거렸다. 난 눈물이 날 것 같아서 기차 안에서 창밖을 보았다. 아주 커다란 무지개가 보였다. 아이 눈에 비친 반짝이는 일곱 색깔 무지개색이 더 선명해지는 것 같았다.

아헨지 호수에서 배운 수영

한날은 오스트리아에 자리 잡고 있는 Achensee(아헨지) 호수에 갔다. see는 독일어로 호수를 뜻한다. 이날은 날씨가 아주 좋았다. 독일인들은 해가 쨍하게 나는 날이 많지 않기 때문에 해가 나면 모두 밖으로 나와 해를 쬔다고 들었다. 또 우리가 뮌헨에 방문한 달은 유럽의 휴가철인 8월이었다. 한국에서라면 입지 못했을 비키니를 챙겨 갔다. 결혼식 신혼여행 때 입고는 한 번도 입어 보지 않았다. 남의 시선을 의식하기도 했고, 내 몸이 부끄러워 못 입었지만, 여기서는 입을 수 있을 것 같았다. 자신의 몸매가 이쁘든 이쁘지 않든 여기 있는 모든 사람은 당당해 보였다. 내 생각에 비키니는 수영할 때 입는 수영복일 뿐이었다. 한국에선 타인의 시선에서 벗어날 수가 없었다. 하지만 이곳에선 이야기가 달랐다. 처음엔 비키니를 입고도 쭈뼛쭈뼛 주변을 많이 의식하며 가리면서 돌아다녔지만 아무도 날 의식하지 않았다. 상대방의 당당한 모습들을 보니 나도 자신감이 생겼다. 그 후로는 나도 비키니를 입고 당당하게 다녔다. 다른 나라 땅에 와서 내 마음이 이렇게 편안할 수가 없었다. 내 진짜 모습을 숨기지 않아서 좋았다. 어쩌면 한국에서 내 진짜 모습을 당당하게 드러내지 못해서 불편했던 것 같다. 시간이 지나면서 내 마음은 더 여유로워졌다.

　　Achensee(아헨지)는 휴양을 즐길 수 있는 많은 사람으로 붐볐다. 넓은 잔디밭과, 보트가 정박해 있었다. 한눈에 들어오지 않는 큰 호수에는 수영하는 사람, 패들 보트를 타는 사람, 다이빙하는 사람, 물놀이하는 아이들, 산에는 패러글라이딩하는 사람도 있었다. 식당 야외 테이블에는 낮부터 맥주를 마시면서 삶을 즐기는 사람들로 가득 차 있었다. 이곳은 많은 사람들이 10일 이상씩 머무르면서 휴양을 즐기는 곳이기도 했다. 독일 뮌헨에서 1~2시간 차로 이동할 수 있는 근교에는 아헨지 처럼 아름다운 풍경을 지닌 곳들은 아주 많았다. 여기 사람들은 휴가철에 유명한 관광지로 관광하러 가는 것보다 집에서 가까운 근교로 휴양을 즐기러 많이 간다고 했다. 멀리 안가도 아름다운 풍경이 있는 조용한 마을이 많기 때문이었다. 또한 시간을 들여서 멀리 관광하러 가기보다는 여유를 즐기는 것을 더 우선으로 하는 듯 보였다. 그들의 휴일을 즐기는 자세가 정말 멋져 보였고, 부러웠다. 나는 생각했다. '나도 이 사람들처럼 휴일을 여유롭게 즐겨야지.' 하지만 마음과 다르게 우리 세 가족은 바빴다. 나는 신랑에게 말했다. "여보 여기서 우리가 가장 바빠 보여." 그 말에 신랑은 나에게 마음을 들킨 듯 움찔하며 크게 웃었다. 그 웃음은 이제는 여유를 즐겨보자는 다짐이었는지도 모른다. 주위를 둘러보았다. 큰 타월 한 장을 바닥에 펼치고 물놀이 후 낮잠을 자는 사람 벤치에 앉아서 해를 쬐는 사람 아이들과 보드게임을 하는 가족들 책 읽는 사람 잔디밭에서 다양한 스포츠를 즐기는 사람 등등 다양한 모습이 보였다. 특별한 활동을 하지 않지만 즐거워 보였고 행복해 보였다. 우리 가족은 서로에게 "NO, stress"를 외쳤다. 그 뒤로 그 사람들과 어우러져 휴일을 즐기고 있었다.

아헨호수는 아주 깊었고, 호수 색은 에메랄드색이 가까웠다. 아빠와 아이가 반대편 부표로 수영을 해서 건너 간다고 했다. 순식간에 일어난 사고였다. 부표에 도착하기 전 아이는 다리가 땅에 닿지 않자 무서워서 발버둥을 쳤고 신랑도 함께 중심을 잃었다. 멀리서 보니 둘이 물에서 허우적거리고 있었다. 아빠는 기지를 발휘해서 아이를 바깥쪽으로 밀어 냈다. 나는 빨리 다가가서 아이의 머리채를 들어 올렸다. 정말 아찔한 사고였다. 순식간이었지만, 아이는 겁에 질려 얼굴이 하얗게 변했다. 어린아이들도 물속에 들어가서 수영하고,노는 모습에 우린 Achensee (아헨지)를 우습게 봤다. 그 뒤로 아이가 물에 들어가지 않을 줄 알았다. 내 생각과는 달리 아이는 다시 물어 들어갔고, 공을 가지고 놀기도 했다. 그 모습에 나는 안도 했다. 혹시 여기에 와서 물에 대한 트라우마가 생기면 어떻게 하나 걱정이 됐다. 방금 일어난 사건 이후로 주변을 살펴봤다. 주변에는 가족 단위로 놀러 온 사람들이 많았다. 한 아이와 아빠가 눈에 보였다. 우리 아이보다 더 어린아이였다. 아빠는 장난을 치며 아이를 호수에 던졌다. 나는 그 모습을 보고 깜짝 놀라 소리를 지를 뻔했다. 하지만 아이는 잘하는 수영은 아니지만 어떻게든 손발을 움직여 물 위로 올라왔다. 조금 전 우리가 겪었던 일과 아주 상반되는 모습이었다. 한국에선 무모해 보였던 모습이 순간 달리 보였다. 아이를 던진 아빠는 아이를 믿고 있었다. 그리고 올라온 아이를 꼭 안아 주었다. 부모는 일어나지 않을 일을 먼저 걱정하지 않았다. 부모가 만들어 놓은 틀 안에 아이를 가두지 않았다. 여기 아이들은 어릴 때부터 우리와는 다른 교육을 받는구나 내 딸아이도 부모의 걱정과는 다르게 강했다. 아이는 내 걱정과 다르게 수영을 더 잘하고 싶어 했고, 연습하기 시작했다. '위기가 곧 기회다'라는 말이 이럴 때 쓰는 말이었다. 아이가 무척 기특했다.

유럽인들의 여유는 이런 거지

누가 뮌헨에 한 달 동안 있으면서 어떻게 지내고 싶어? 라고 질문

했다. 나는 걷다가 쉬고 싶을 때 잔디밭에 돗자리를 깔고 앉아서 책도 읽고, 배고프면 샌드위치 하나 사서 나눠 먹고, 피크닉을 즐기며 여유로운 유럽 생활을 즐겨야지 라고 말했다. 또 아이가 뮌헨에 와서까지 공부 하기를 원하지 않았다. 한국이었다면 초등학교 5학년 방학은 공부에 있어서 아주 중요한 시기였다. 하지만 나는 읽을 책만 챙겨서 떠나왔다. 아이에게 여유로운 생활을 선물 하고 싶었다. 오로지 자신에게만 집중 할 수 있는 그런 여유를 갖게 해주고 싶었다. 지금 와서 생각해 보니 나는 한국에서부터 여유를 깊이 원했던 것 같다.

뮌헨에 도착해서는 알프스산맥 트레킹부터 체코프라하와 오스트리아까지 관광을 했다. 바쁘게 지낸 만큼, 남은 시간은 아이와 함께 뮌헨 근교에 공원, 도서관, 궁전, 미술관을 다녀 보기로 했다. 아이와 함께 도서관과 미술관을 찾은 날이었다. 집에서 에스 반을 타고 Marien-platz(마리엔플라츠) 광장에 도착 후 도서관 가는 좁은 골목길에는 많은 상점, 음식점이 있었고, 에어컨이 없어서 그런지 야외 테이블에 많은 사람들이 나와 앉아 있었다. 테이블에 앉아 샴페인이나 에스프레소 한잔과 케이크를 나눠 먹으면서 대화하는 사람들에 모습이 무척이나 즐거워 보였다. 나는 테이블에 앉아 있는 사람들의 표정 속에서 끊임없이 여유를 찾고 있었다. 그때 아이가 말했다. 엄마의 마음을 알아챘는지 우리도 저기 테이블에 앉자고 이야기 했다. 우린 예쁜 케이크를 판매하는 야외 테이블에 자리를 잡고 앉았다. 한국에서는 매장 직원을 부를 때 손을 흔들었다. 하지만 여기선 기다려야 했다. 자리를 잡고 앉은 지 5분 정도가 흘렀을 때였다. 직원이 주문을 받으러 왔다. 아이는 젤라토와 케이크를 주문했다. 유럽의 젤라토는 정말 맛있다. 날씨 때문인지 1인 1 젤라토를 먹었던 것 같다. 나는 에스프레소를 주문했다. 원두 향이 정말 좋았다. 한국에서는 얼어 죽어도 아이스 아메리카노를 마셨다면, 여기선 얼음 커피가 없어서 따뜻한 아메리카노를 마셔야 했다. 처음에는 적응이 안됐는데 나중에는 에스프레소만 마셨다. 그 진한 커피향과 뜨거운 액체가 내 목구멍으로 내려갈 때의 느낌은 환상적이었다. 왜 사람들이 에스프레소를 마시는지 알 것 같았다. 작은 조각 케이크도 주문을 했었는데, 조각 케이크는 아이가 매장직원과 함께 가서 골랐다. 가격은 비쌌지만, 먹기가 아까울 정도로 예뻤다. 내 손바닥만 한 크기의 조각 케이크였는데 생크림과 딸기가 올려진 딸기 스펀지케이크였다. 에스프레소 한 모금과 케이크 한입의 조화는 먹어본 사람은 다 알 것이다. 야외테이블 앉아서 마시니 나도 현지인이 된 것 같은 기분이 들었다. 우리처럼 매끄러운 도보가 아니라 울퉁불퉁한 작은 돌멩이들로 이루어진 길에 고급스러운 상점들이 줄지어 있었다. 많은 사람들이 매장을 오가면서 지나가고 있었다. 아이와 함께 사람들도 구경하고 웃고 이야기를 하면서 시간 가는 줄도 모르고 보냈다. 많은 야외 테이블에서 시간을 보냈지만 단점이 있었다. 꿀벌이 정말 많았다. 한 마리가 아니었다. 여러 마리가 달콤한 냄새를 맡고 날아왔다. 꿀벌이 많다는 건 뮌헨에서 아주 신기한 일이었다. 가지고 간 모자로 벌을 내쫓으면서도 불편한 생각보다는 여긴 뮌헨이지 라고 받아들였다. 더 신기했던 건 우리는 꿀벌들을 내쫓았지만, 현지인들은 안 그랬다. 꿀벌이 본인 음료 잔에 붙어 붙어 있어도 개의치 않았다. 빵집에 꿀벌들이 빵 위에 앉아 있는데도 내쫓으려 하지 않았다. 그것도 유럽인들의 여유였을까? 자연을 훼손 하지 않으면서도 아름다움을 보존하고 서로 살아가는 방법을 터득한 것 같았다. 나도 하나의 추억으로 삼으며 조금씩 여유를 찾으며 뮌헨 생활을 즐기고 있었다.

  한국에서도 도서관을 많이 찾는 편이었다. 책이 좋아서 다른 나라 도서관도 아이와 가고 싶었다. 도심 속 도서관은 3층으로 이루어진 건물이었고 웅장하고 고풍스러웠다. 건물 안은 전체적으로 회색과 베이지의 중간 톤의 색감의 돌로 지어졌다. 중간에는 2층으로 올라가는 대리석으로 된 높은 계단이 있었다. 계단을 사이에 두고 양쪽에 커다란 돌기둥이 버티고 있었다. 내부가 그리스 신전에 온 같은 느낌이 났다. 돌로만든 석상들이 군데 군데 있어서 도서관의 분위기를 더했다. 도서관에는 사람이 많았다. 공부하거나 책을 읽는 사람들도 있었고, 무언가 토론을 하듯이 열심히 이야기하는 사람들도 있었다. 유대인들은 도서관에서 끊임없이 토론하기 때문에 도서관이 시끄럽다고 책에서 읽은 기억이 났다. 우리나라는 도서관에서 떠들면 사서분들이 조용히 하라고 말했다. 부모들도 아이들이 책을 소리내어 읽거나 이야기하려고 하면 조용히 시켰다. 여기는 우리나라와 상반되는 모습이었다. 우리나라와 반대로 열띤 이야기를 하며 서로의 의견을 나누는 모습을 보니 부러웠고 눈을 뗄 수가 없었다. 우리 아이가 커서 저렇게 앉아서 이야기를 나누는 모습을 상상했다. 도서관을 구경하고 아이는 배가 고프다고 했다. 도서관 앞에는 공원이 있었다. 우린 도서관에서 나와 공원에 돗자리를 깔았다. 뮌헨에 오고 나서 가방에 작은 우산과 작은 돗자리를 항상 챙겨 다녔다. 오는 길에 조각 피자와 물도 샀다. 우린 다른 약속도 없었고 시간에 쫓길 일도 없었기 때문에 그 누구의 방해도 없이 공원에서 가지고 온 책을 읽었다. 도서관에 있던 사람들처럼 자유롭게 대화도 했다. 특별한 건 없었지만, 많은 여행의 순간 중에서도 이날이 계속 해서 생각 났다. 여행을 떠나기 전 가장 하고 싶었던 순간이기도 했다. 이것이 바로 내가 원하는 자유고, 여유였다.

안녕, 뮌헨.

나는 시간에 예민한 편이었다. 상대방과 시간을 맞추기 위해서 항상 바쁘게 움직이면서 살았다. 하지만 여기선 약속된 시간이 없었고, 누군가 의식하지 않아도 되었기 때문에 오로지 나에게 더 집중할 수 있었다. 그렇기 때문에 불필요한 에너지를 덜 소모할 수 있었다. 그 시간이 쌓여서 나를 찾는 시간을 늘릴 수 있었던 것 같다. 40년이란 인생을 살아가면서 못했던 것을 여기 뮌헨에서 20일 남짓 살면서 느끼다니. 우리 아이도 일찍 이런 경험을 할 수 있어서 기뻤다. 아이가 뮌헨을 떠나 한국에 들어가면, 시간에 쫓기며 사교육과 공교육의 현장으로 들어가야 할 것이다. 시간이 지나 학생으로서 스트레스도 받을 것이고, 직장, 성적, 대학으로부터 끊임없이 타인과 비교하고 끊임없이 비교당하면서 살아갈지도 모른다. 하지만 뮌헨에 있는 동안 아이의 표정은 여유로웠고 행복해 보였다. 지금이 아니더라도 나중에 힘든 일이 닥치더라도 뮌헨에서 한 달 동안 지내면서 느꼈던 부분을 기억했으면 좋겠다. 그 기억으로 자신을 돌아볼 여유가 생겼으면 좋겠다.

아이와 뮌헨에서 한국으로 돌아와서 언어의 중요성을 많이 느꼈다. 때문에 영어와 서로가 소통할 수 있는 토론 외에는 다른 학원들을 모두 끊었다. 학원을 다니는 시간이 아까웠다. 뮌헨과 느낌은 다르지만, 그때와 마찬가지로 아이와 함께 공원을 산책하고, 배고프면 빵 하나 사서 먹었다. 정해진 틀에 구애받지 않는다는 생각이 들어서 홀가분했다. 또 도서관을 더 자주 찾게 되었다. 도서관에 가는 날은 다른 스케줄 없이 하루를 다 비워 뒀다. 일주일 중 하루는 아이도 나도 아무런 약속도 스케줄도 없이 여유롭게 책도 읽고 생각도 하기를 바랐기 때문이었다. 우리는 지금도 여전히 나 자신을 찾아가는 시간을 보낸다. 타인을 위해서가 아니라 나 자신을 위해서 시간을 썼다. 뮌헨 한 달 살기는 아이를 위해서도 나를 위해서도 잘한 선택이었다. 한 달 동안 뮌헨에 있는 동안 아이는 키가 많이 컸다. 삶의 방식은 조금 바뀌었지만, 외적으로나 내적으로 성장을 했다. 지금처럼 자신을 찾으며 살아가는 아이가 되었으면 좋겠다. 사람들이 여행을 가기 전 망설이고 있다면 나는 적극적으로 추천하고 싶다. 뮌헨에서 한 달 동안 살고 와서 많은 것이 달라졌기 때문이다. 뮌헨에서 한 달 동안 나는 자신감을 얻을 수 있었고, 지금까지 내가 살아온 방식과 다른 내 삶의 가치에 대해서 더 생각하게 되었다.

고마워, 뮌헨

이 글을 쓰면서[남에게 보여 주려고 인생을 낭비 하지 마라.]라는 책을 읽었다. 책의 내용은 대략 쇼펜하우어의 모음집이었다. 책 속 명언 중 가장 마음에 드는 명언을 골라봤다.

"행복을 외부에서 찾지 마라. 그럴수록 우리는 불안하고 위태로워진다. 행복은 우리 내부에 있다. 다른 이의 시선이나 생각 따위가 아니라 자신에게 전적으로 의지하고 자신에게만 만족하는 사람이 가장 행복하다."_쇼펜하우어

위 쇼펜하우어의 명언에는 내가 하고 싶은 말들이 함축되어 있었다. 뮌헨에 8월에서 9월 한 달간 지냈고 한국에 돌아와서 6개월이 지났다. 시간이 지났음에도 불구하고 여러 가지 상황과 활동들을 통해 여행에서 느꼈던 부분을 이어가려고 노력했다. 이번 글을 쓰게 된 동기도 그랬다. 내가 느꼈던 부분이나 아름다운 장면을 책에 담고 싶었다. 이번 뮌헨 생활을 통해서 나 자신의 가치를 더 소중하게 생각 하고, 내 스스로 만족할 때 가장 행복감을 느낀다는 사실을 알게 됐다.

　그 나라 사람들이 행복하고 여유로운 것은 애초에 자라온 환경과 교육에 의한 마인드가 다르게 아닐까? 라는 생각을 했다. 아주 특별하진 않지만, 가족과 함께 휴일에 캠핑을 다니고, 자연과 함께 자전거 트레킹을 하며 여유를 즐기며 지냈다. 해가 날 때면 야외에 나가 함께 스포츠를 즐기고 뛰어놀면서 스트레스를 풀고 행복을 즐길 줄 알았다. 한 달 동안 있으면서 여기 아이들은 어떤 교육을 받을까? 고민한 적 있었다. 어릴 때부터 이렇게 키워온 가족과의 유대감은 타인으로부터 독립할 수 있도록 자존감을 키워 줬을 것이다. 지금의 상황을 만족하고 삶을 살아가는 삶의 방식을 장착하고 나아가는 법을 교육 받는 것은 아닐까 라는 생각이 들었다. 우리나라 아이들도 자신을 믿었으면 좋겠다. 또 한국 부모님들은 자식에게 교과 중심 교육도 중요하지만, 아이에게 더 중요한 교육이 무엇인지를 생각 하면 좋겠다.

　글을 쓰면서 뮌헨에 다시 가고 싶었다. 이번에 특별한 계획 없이 급하게 출발한 뮌헨 여행이었다. 우리 가족은 즉흥적으로 움직였고, 발길이 닿는 대로 걷기도 하고 쉬어 가기도 했다. 산을 보는 게 좋았고, 산에서 흐르는 시냇물 소리가 좋았다. 아주 유명한 관광지에 방문한 것보다 그런 장면들이 더 기억에 남았다. 렌트한 차를 타고 도로를 달릴 때였다. 아주 넓은 들판에 나 있는 좁은 도로에 아빠, 엄마, 아이 셋이 함께 자전거 트레킹을 하고 있었다. 그런 장면들은 여러 번 보았다.

짧은 순간들이었지만 여유, 행복, 힐링 이라는 단어가 떠오르는 장면이었다. 다음에 뮌헨에 가면 뭘 가장 하고 싶냐고 묻는다면 온 가족이 자전거 트레킹을 하고 싶다. 자전거를 타고 달리며 힘들면 쉬어가고 비가 오면 비를 맞고, 바람이 불면 부는 방향으로 달리고 해가 쨍하면 쨍한 대로 자연을 그대로 만나고 싶다. 우리 가족 모두 자연을 벗 삼아 여유롭게 달리고 싶다.

날개

장로사

장로사 봄엔 따스한 햇살을 등에 두르고 냉이와 쑥을 캐야 할것만 같다. 맛있는
음식을 먹을때, 글이 내맘을 알아줄때 설렌다. 두 아이와 얘기하는걸 좋
아하고 엄마로 살아 행복하다. 열정과 감사로 하루하루 끼니를 잘 채우
며 변명이 필요없는 삶을 살고 싶다. 작가의 꿈으로 설레고 있고, 앞으로
도 소소한 꿈들로 설레고 싶다. 공동저서로 '무지개 책방' 이 있다.

email: rosa980111@gmail.com

"아악"

상처만 남은 겨드랑이로 초겨울 바람이 스며들었다. 칼로 벤 듯 날카로운 고통에 외마디 비명이 새어 나왔다. 처참하게 망가진 몸뚱이는 그날의 고통을 정확하게 기억하고 있었다. 애써 외면하며 살아왔다. 한때 날개가 있었다는 것을.

추락했다. 그리고 날개를 잃었다. 중심을 잃고 콘크리트 바닥으로 추락하기까지는 찰나였다. 상실의 고통은 상상을 넘어섰다. 육신과 정신의 고통이 씨실과 날실처럼 촘촘히 파고들었다. 살아오면서 불행은 남의 얘기인 줄 알았다. 사건 사고가 매일 뉴스에 보도되고 구급차에 사람들이 이송되어 가는 걸 봐도 나와 무관한 세상일이라 여겼다. 가끔 하는 알량한 봉사와 기부금으로 인간의 책임과 도리에 면죄부를 받았다고 생각해, 남의 불행에 담담할 수 있었다. 하지만 어느 날 툭 찾아온 불행은 나의 육신과 정신의 날개를 꺾어 끝도 없는 바닥으로 내동댕이쳤다. 웅크린 채 떨고 있던 나는 불행을 마주할 용기조차 없었다. 몹쓸 꿈을 꾸고 있다고 생각했다. 그날도 여느 날과 같이 밴쿠버의 오월은 눈부셨다. 여름을 준비하느라 한창인 초록, 따스해지는 햇살, 뽀송뽀송 말라가는 대지, 아이들의 와자지껄한 웃음. 모든 게 시계 초침처럼 일사불란하게 유월을 향해 달리고 있었다. 이상한 나라의 앨리스라도 된 걸까? 눈을 떠보니 나만 홀로 다른 세상에 남겨져 있었다. 멍한 눈으로 주위를 둘러봤다. 푸른 가운에 하얀 마스크를 쓴 사람들이 주위를 분주하게 움직이고 있었다. 눈빛 하나 건네는 이 없는 낯설고 차가운 공기가 온몸을 눌렀다. 싹둑싹둑 거침없는 쇳소리와 함께 내 몸뚱이에 붙어있던 옷가지들이 조각조각 뜯겨 쓰레기통으로 무참히 처박혔다. 발가벗겨진 몸뚱이에 수치심을 느낄 겨를도 허락하지 않았다. 춤추듯 빠르게 움직이는 손과 표정 없는 눈빛, 뭔가 말을 해야겠는데 입을 옴짝달싹할 수 없었다. 딱 붙어버린 입과 달리 온몸은 추위와 두려움에 사시나무처럼 떨렸다. 몇 시쯤 되었는지 가늠이 되지 않았다. 예정대로라면 학교에서 중간고사를 보고 있어야 했다. 몸을 추슬러 아이들을 데리러 가야겠다고 생각했다. 아무것도 모른 채 엄마를 기다릴 어린 두 아들이 걱정되었다. 하지만 침대에 손발이 묶인 듯 전혀 움직일 수 없었다. 다리와 허리에 극심한 통증이 엄습해 왔다. 다시 걸을 수 있을지, 학교로 돌아가 대학은 마칠 수 있을지, 아이들은 누가 돌봐줄지, 앞으로 어떻게 살아야 할지, 엉킨 실타래처럼 밀려드는 걱정과 두려움이 육신의 고통조차 삼켜버렸다. 컴컴한 동굴 속에 혼자 남겨진 나는 흐느낄 수조차 없었다. 그렇게 몇 달 같은 몇 시간이 흘렀다.

"괜찮아요?"

낯선 목소리에 눈을 떠보니 한 중년 여성이 나를 애처롭게 내려다보고 있었다. 그녀의 애잔한 눈빛 때문이었을까? 몇 시간을 꾹 참았던 두려움과 걱정이 눈물로 쏟아져 나왔다. 예상치 못한 오열에 나도 그녀도 당황스러웠다. 그녀는 서럽게 우는 내 어깨를 토닥여 주며 울음이 잦아들길 조용히 기다렸다.

"뭐 도와줄 일이 있나요?"

느릿느릿한 영어로 난 그녀에게 내 친구에게 연락해 줄 수 있는지 물었다. 그녀는 흔쾌히 전화를 걸어 친구와 통화 할 수 있게 도와줬다. 난 친구에게 학교로 아이들을 데리러 가 줄 수 있는지, 도서관에 있을 남편에게 연락해 줄 수 있는지 부탁했다. 그녀는 내게 뭐 더 필요한 게 없냐고 재차 물었다. 그리고 나중에 다시 오겠다는 말을 건네고 자리를 떴다. 후에 알았다. 그녀가 소셜 워커인 것을. 그날 그녀의 따뜻했던 눈빛과 친절에 난 큰 위로를 받았다.

장시간에 걸친 수술이 끝나고 눈을 떴다. 어린 두 아들이 내 손을 잡고 눈물을 글썽이고 있었다. 아이들 옆으로 그사이 10년이란 세월을 삼킨 듯한 남편이 초점 없는 눈으로 나를 내려다보고 있었다.

"일 년 안에 다리 재수술을 해야 할 거예요. 지금의 커리어는 앞으로 힘들 수 있어요. 앉아서 할 수 있는 다른 커리어를 찾는 게 좋을 듯해요."

파란 눈의 영화배우처럼 생긴 수술 의사가 심각한 표정으로 말했다. 영화를 찍고 있다고 생각했다. 현실적이지 않은 그의 비주얼과 믿기지 않는 상황이. 뭔가 대사를 뱉어야 하는데 생각나지 않았다. 뒤이어 의사는 친절하게 설명을 덧붙였다. 나사못 12개를 박아 부서진 뼈를 붙여 놨다고. 걸을 때마다 통증이 있을 거라고. 평생을 이렇게 살아야 한다고. 진통제로 투여된 독한 모르핀 때문인지 몽롱했다. 눈앞이 흐려지더니 고장 난 수도꼭지처럼 눈물이 쉴 새 없이 흘렀다. 믿기지 않는 현실에 빨리 병원을 벗어나야겠다고 생각했다. 2010년 5월 어느 날, 난 예상치 않은 공포영화의 주인공이 되었다. 병원에서의 생활은 식사를 포함해 불편하고 힘들었다. 다른 언어로 인한 소통도 힘들었지만, 무엇보다 놀라고 무서웠을 아이들이 걱정되었다. 이런 나의 마음을 소셜 워커에게 울며 하소연했다. 우린 이민자라 아이들을 돌봐줄 가족이나 친척이 아무도 없다고. 비록 아픈 몸이지만 아이들 옆에서 마음이라도 다독여 주고 싶다고. 소셜 워커는 엄마인 내 마음을 이해한 듯 의료진을 설득해 예정보다 며칠 일찍 퇴원할 수 있게 도와줬다. 그녀는 내게 필요한 보조 부츠와 목발을 챙겨줬다. 그리고 언제든 필요한 게 있으면 연락하라며 명함을 건네줬다. 퇴원하던 날, 그녀는 내게 잘 이겨낼 거라는 응원의 말과 따뜻한 포옹을 해줬다. 악몽 같은 날들을 보내며 그나마 그녀 때문에 숨 쉴 수 있었다. 내 상황에 진심으로 같이 아파하며 내 말에 귀 기울여준 그녀가 있어서.

수술 후 통증은 격렬했고 일상생활은 그 이상으로 처참했다. 다친 허리 근육으로 앉을 수 없어 누워 식사해야 했고, 볼일도 침대에서 해결해야 했다. 독한 약으로 머리가 한 움큼씩 빠져나왔고, 눈은 초점을 맞추기 힘들었다. 몸을 꼼짝할 수 없으니, 초등학생 큰아이와 남편에게 모든 걸 의지해야 했다. 하루아침에 쓸모없는 몸뚱이가 되어버렸다.

"당신, 지금 제정신이야! 다칠 여유가 어딨어? 나 혼자 어쩌라구."

낯선 땅에 뿌리도 내리기 전 닥쳐버린 불행에 배우자는 당황스럽고 힘들어했다. 그의 말대로 우린 다칠 여유조차 없었다. 그는 나와 아이들을 매몰차게 대했다. 그 또한 날개를 잃은 것 같은 상실감으로 겨우 버티고 있었다. 의지할 사람 하나 없는 이곳에서 난 그에게 유일하게 힘이 돼주는 존재였다. 서로에게 해줄 게 없던 우린 서로를 탓하며 할퀴었다. 힘든 상황을 투정할 곳도 위로받을 곳도 없었다. 남편에게조차 외면받은 나는 한겨울 찬비를 맞고 서 있는 길 잃은 7살 아이였다. 춥고, 무섭고, 외로웠다. 한편으로는 도움 없이는 꼼짝 할 수 없는 민폐가 된 몸뚱이에 억울하고 화가 났다. 눈치 없는 작은아이는 자주 말썽을 피워 형을 고생시켰고 아빠에게 꾸지람을 들었다. 속 깊은 큰아이는 아빠가 힘들어하는 걸 아는지 제 할 몫 이상을 하려고 애썼다. 아빠와 동생 아침을 준비하고 내가 먹을 약과 간식을 챙겨두고 학교에 갔다. 낯선 상황에 힘들어하며 눈치 보는 아이들을 그냥 지켜볼 수밖에 없었다. 행여 속상한 마음에 언성이라도 높이면 아이들이 더 힘들어졌다. 내게 찾아온 사고로 가족 누구 하나 자유롭지 못한 채 불행이라는 주홍 글씨를 가슴에 새겨야 했다. 누워있는 침대에 푹 꺼져 그대로 흔적 없이 사라지면 좋겠다고 생각했다. 슬픔과 비참함을 푹 뒤집

어쓴 채 간신히 숨만 쉬었다. 원망할 누군가가 필요했다. 내 탓만 하기엔 억울했다. 배우자가 제일 먼저 떠올랐다. 굳이 이 낯선 땅에 나를 끌고 와 이런 사고를 당하게 만든 그가 원망스러웠다. 오고 싶지 않은 이민이었다. 울며 겨자 먹기로 왔는데 이런 일까지 겹치니 모든 게 남편 탓 같았다. 하지만 본인 돌보기도 힘든 그는 이런 내 마음을 전혀 헤아리지 못했다. 그는 오히려 사고를 당한 나를 탓하며 원망했다. 남편 탓만으로 채워지지 않아 신을 소환했다. 나를 지켜야 할 의무를 소홀히 한 신을 저주했다. 내가 뭘 그리 잘못했다고 이런 벌을 받게 내버려 둔 걸까. 살면서 크게 죄 안 짓고 하루하루 열심히 산 것밖에 없는데. 뭘 그리 밉보여 이런 고통을 내린 걸까. 하필 가진 것 없고 내세울 것 없는 내게 그나마 나를 지탱해 주던 다리를 부러뜨렸을까. 불공평하고 무자비한 신이 원망스러웠다. 천성이 다람쥐처럼 종종거리고 살뜰했다. 시골 동네 앞 들판과 뒷산을 제집 드나들 듯 노니며 자랐다. 그 덕에 단단하고 야무진 발바닥을 가졌다. 종종거리는 거라면 지치지 않고 누구보다 잘했다. 차로 갈 거리도 부러 걸어 다닐 정도로 걷는 걸 즐겼다. 걸으면 생각이 꿈틀대고 의식의 경계가 풀리는지라 슬플 때도, 기쁠 때도, 괴로울 때도 사방을 총총거리며 다녔다. '산책'이란 단어를 세상에서 제일 좋아했다. 그랬던 내가 더 이상 산책을 할 수 없고 종종거리며 바지런을 떨 수 없다는 현실을 받아들이는 게 쉽지 않았다. 없이 태어난지라, 내세울 거라고는 튼튼한 다리로 할 수 있는 바지런함이 다였다. 몸으로 하는 일을 무서워하지 않고 덤볐다. 그런 탓에 어디 가나 환영받고 사랑받았다. 도움받는 것보다 도움 주는 게 익숙한 삶을 살았다. 일거리가 있으면 남들이 하기 전 나서서 했다. 가족에게 이웃에게 음식을 해 먹이는 수고를 기쁨이라 여겼다. 종종거릴 수 있는 다리가 있으니 가능했던 일이었다. 그런 다리가 더 이상 서는 것도 걷는 것도 힘들어 제구실할 수 없게 된 날, 난 존재가치를 잃어버렸다. 이민 와 캐나다라는 낯선 땅에서 이방인으로 살았다. 이곳의 삶은 남의 옷을 빌려 입은 듯 불편하고 어색했다. 눈에 보이지 않는 교묘한 편견과 차별로 자신감마저 바닥이었다. 그나마 선생님이 되겠다는 목표가 있어 하루하루를 버텼다. 한국에서 학교에 몸담고 있었던지라, 이곳에 와서 유치원 교사가 되려고 전문대학에 들어갔다. 학생인 남편과 아이 둘을 뒷바라지해 가며 바쁘고 힘들게 살았지만 미래의 소박한 목표가 있어 견딜만했다. 하지만 사고로 내 미래에 사형선고를 받았다. 더는 교육자로 일을 할 수 없을 거라고. 커리어를 바꿔야 한다는 수술 의사의 말은 내게 사형선고나 마찬가지였다. 하루아침에 멀쩡했던 다리와 미래를 모두 잃어버렸다. 뼈가 으스러져 오는 육신의 고통은 참을 만했다. 두 아이도 자연분만 한 내가 아닌가. 하지만 미래를 잃은 정신적인 추락과 허탈함은 나를 끝도 없는 심연으로 밀어냈다. 할 수 있는 거라고는 아득한 나락에서 멍하니 창밖만 내다보는 것이었다. 창으로 보이는 세상은 창문만큼의 크기만 허락했다. 그렇게 작은 세상에 갇혀 지내던 어느 날 이었다.

"푸두둑 푸두둑."

창문에 연달아 꽂히는 비명 같은 소리에 눈을 떴다. 작은 새 한 마리가 창에 부딪혀 발코니 바닥에 나동그라져 있었다. 작은아이가 타 놓은 설탕물을 먹으러 자주 찾아오는 벌새였다. 고통스럽게 날개를 퍼덕이는 새 옆으로 제법 큰 깃털이 떨어져 있었다. 새도 날개가 꺾인 걸까? 무심코 손을 뻗어 내 겨드랑이 안쪽을 움켜줘 봤다. 고통의 흔적만 만져질 뿐 아무것도 잡히지 않았다.

　처음 한 달은 친구들로 집이 웅성댔다. 나의 불행에 가슴 아파하며 그들은 음식을 가지고 수선스럽게 드나들었다. 한 달이 지나자 그들은 그들 삶으로 돌아갔다. 어쩌다 전화를 해온 그들은 쇼핑을 갔다 왔다고, 등산을 갔다 왔다고, 레스토랑에서 근사한 점심을 먹고 왔다고 말하며 내 눈치를 살폈다. 소소한 일상을 보낸 게 내게 죄지은 일인 듯 쭈뼛쭈뼛, 하지만 시시콜콜 말했다. 나의 불행을 위안 삼던 그들은 속상하게 할 의도는 없다며 애둘러 말한 뒤 전화를 끊었다. 그들은 배려라는 이름으로 동정과 연민의 말도 잊지 않았다. 그들의 값싼 동정과 연민에 난 점점 더 비참해졌다. 그동안 공부하느라 딱히 쇼핑도 등산도 레스토랑도 다니지 않던 나였다. 그런데 갑자기 그들에 의해 그들의 일상을 부러워해야 하는 처지가 되었다. 그들 눈에 나는 점점 불쌍해졌고, 불편해졌고, 멀어져갔고, 잊혀져갔다. 내가 원했는지 그들이 원했는지 잘 모르겠다. 껄끄럽게 바스락대던 감정을 더 이상 숨길 수 없게 되었을 때, 그들은 더 이상 나를 찾지 않았고 나도 그들을 찾지 않았다.

　"내가 웬 복으로 너 같은 바지런한 동생을 둬 좀 편해졌다 싶었는데, 내 팔자가 그렇지!"

친구들이 모두 떠났을 때 유일하게 곁에 남아있던 이웃 언니가 말했다. 날 친동생처럼 여긴다던 그녀는 나의 불행을 자신의 불행인 양 신세 한탄을 했다. 그녀의 대소사에 몸을 아끼지 않고 척척 도움 주던 나였다. 김장할 때는 앞장서 도와줬고, 한국에 잠시라도 다녀올 때면 그녀의 아이들 식사를 열심히 챙겼다. 내가 앞으로 그러지 못할 거로 생각해 그녀는 슬퍼했다. 그녀의 슬픔에 웃어야 할지 울어야 할지 난감했다. 쓸모없이 쭉정이만 남은 나를 그녀는 안타까워했다. 그녀를 다시 보게 되었을 때, 분명 내 자리였던 그녀의 옆자리에 다른 이가 앉아있었다. 그녀에게서 가장 멀찍이 떨어진 구석 자리가 날 위해 남아있었다. 내 자리를 확인한 날, 서러움과 배신감에 홀로 목 놓아 울었다.

햇살이 눈부시게 스며드는 방안에 홀로 지내는 날이 점점 많아졌다. 계절은 한여름을 향해 치닫는 데 마음은 외로움으로 시렸다. 긴 병에 효자 없다고 했던가? 사람들의 걱정과 발걸음으로 분주했던 집이 한 달 반이 지나자 찾아오는 이가 없었다. 그들은 그들의 따뜻하고 바쁜 일상으로 돌아갔고, 난 오지 않는 그들을 기다리다 울음을 삼키는 날이 늘어갔다. 깊숙한 외로움을 걸치고 영겁과 같은 시간을 오롯이 견뎌야 했다. 늦은 밤 혼자 술을 퍼마시고 짐승처럼 소리를 질러보았다. 접시를 바닥에 무참하게 던져 보고, 긴 머리를 가위로 싹둑 잘라보았다. 그렇게라도 하면 억울하고 속상한 마음이 풀릴 것 같았다. 하지만 눈덩이처럼 불어난 고통과 창자를 뒤트는 속쓰림만 속절 없이 찾아왔다. 아이들이 있어 쉬이 아파할 수도 없었다. 아픔을 혼자 삼켜야 하는 날이 늘어갔다. 하루아침에 세상에서 제일 재수 없는 여자가 되어 있었다. 그렇게 혼자만 열심히 사는 척 나대더니 꼴좋다. 혼자 씩씩한 척하더니 그럴 줄 알았어. 이젠 네가 그 몸으로 뭘 더 할 수 있겠어. 이젠 그만하고 애들이나 챙기고 살아. 열등감과 자격지심이 꼬일 대로 꼬인 칡넝쿨처럼 나를 휘감았다. 부러진 날개를 부여잡고 속삭였다. 이 몸으로 뭘 더 할 수 있겠어. 내게 맞는 커리어가 뭐가 있겠어. 이 나이에 언제 다시 학교를 지원해 들어가. 할 만큼 했잖아. 이대로 주저앉는다고 누가 뭐라 해. 사실 완벽했다. 누구도 나를 비난할 수 없을 것 같았다. 날개가 없는데 어쩌라고. 내가 나를 위로하려 혼잣말을 해 봤다. 하지만 위로가 되지 않았다. 구멍 난 문풍지를 더듬는 겨울바람처럼 자책하는 말들이 마음을 에였다. 정말 그럴까? 제대로 날아보려고 한 적도 없으면서. 이젠 날개가 없어진 탓을 하며 주저앉을 준비를 하는 내가 비겁했다. 최선을 다해 노력은 해 봤나? 적당히 인생의 거래를 하며 무덤덤하게 산 건 아닐까? 내가 내 인생에 과연 날아 본 적은 있나? 하는 생각이 불현듯 밀려왔다. 돌이켜 보면 20대엔 터질듯한 열정과는 다른 현실로 많은 방황과 시행착오와 헛발질을 했다. 꿈 한 번 제대로 펼쳐 보지 못하고 결혼을 서둘러 했다. 그러다 30대는 누군가의 아내로, 엄마로, 며느리로 살았다. 짬짬이 나의 커리어를 이어가고 싶어 대학에 강의를 나가고 미술학원을 했다. 하지만 대부분의 내 삶은 내가 아닌 가족들의 삶에 더 많은 시간과 에너지와 의미를 부여하며 살았다. 그렇게 살아야 하는지 알았고, 그렇게 사는 게 마음 편했다. 아이들이 조금 더 커서 해도 늦지 않아. 내 꿈은 잠시 접어두는 것

뿐이야. 이렇게 사는 것도 나쁘지 않아. 다 이렇게 사는 걸 뭐. 이민 온 후에 상황은 더 좋지 않았다. 언어와 문화가 전혀 다른 곳에서 내가 하고 싶은 것을 꿈꾸는 건 사치였다. 어딜 가나 주눅이 들었고 편견과 차별이 그림자처럼 따라다녔다. 꿈보다는 눈앞에 놓인 생존을 걱정해야 했다. 어깨 한번 펴보질 못했다. 그러다 몸과 미래를 잃고 추락하니 억울했다. 꿈을 펼쳐 볼 수조차 없었던 내 삶이. 어찌 보면 내 삶은 가족과 사회가 용인하는 것에만 매달려 살았다. 결혼이라는 제도와 너무 쉽게 타협했다. 좋은 아내, 좋은 엄마, 좋은 며느리라는 콤플렉스에 내 미래를 저당 잡혀 살았다. 편견과 차별을 핑계 삼아 꿈꿀 생각조차 하지 않았다. 소심하고 비겁했다. 그렇게 자책하는 말들이 낙엽처럼 차곡차곡 쌓여가던 어느 날이었다. 한국으로부터 전화가 왔다.

"막내니! 에구, 세상에 뭔 일이다냐. 어쩌다 니가."

전화기 너머 한숨 섞인 애처로운 엄마의 목소리가 들렸다. 진이 빠진 듯 말라버린 엄마 목소리에 마음이 시큰했다. 눈에 힘을 줬지만 눌러뒀던 서러움이 폭풍처럼 몰아쳤다. 친정 언니들에게 엄마한테 절대 비밀로 해달라고 신신당부를 해 뒀었다. 어떻게 소식을 아셨을까. 육남매의 막내인 난 엄마에게 자랑거리였다. 엄마는 농사와 살림을 해야 하는 고된 삶에도 늦둥이인 나를 한없이 아끼고 예뻐하셨다. 서모 밑에 자라 어려서부터 남의 집 식모살이를 한 엄마는 학교 근처에 가본 적 없는 까막눈이다. 그런 엄마에게 서울에서 공부해 대학에 강의를 나가는 막내딸은 시골 작은 마을에 자랑이자 엄마의 못 배운 한과 무시당한 설움을 채우고도 남았다. 그런 막내딸이 그것도 캐나다라는 거리가 가늠조차 안 되는 먼 곳에서 다리를 다쳐 앞날을 모른다니 팔십이 다 된 엄마의 심정은 어땠을까? 나보다 더 고통스러웠던 걸까? 엄마의 목소리는 금세라도 땅 밑으로 꺼질 것 같았다.

"내가 그렇게 걱정되거든, 말만 하지 말고, 교회든 성당이든 가서 날 위해 기도해 줘 엄마."

신이 자식들에게 파먹혀 껍질만 남은, 무지해 신이 뭔지조차 모르고 산, 죄 없는 노인네가 매달리면 좀 들어주지 않을까? 얄팍한 셈이 있었다. 천지에 엄마만큼 간절하게 날 위해 기도해 줄 이가 있을까? 한편으로는 아무것도 할 수 없는 엄마에게 막내딸을 위해 뭔가 했다는 위안거리를 주고 싶었다. 그리고 며칠이 흘렀다.

"엄마가 여기 동네 사돈네 따라 교회 가서 네가 말하는 하늘님인지 뭐신지한테 기도하고 왔응께, 우리 막내 빨리 건강하게 해달라고 기도하고 왔응께, 니 금방 나을겨."

지푸라기라도 잡고 싶고 투정이라도 부리고 싶어 내뱉은 말 이었다. 엄마가 교회에 가리라고는 생각지도 못했다. 까막눈인 엄마에게 성가를 부르고 성경을 읽는 교회라는 장소가 얼마나 낯설고 불편할지 알기에. 내가 캐나다에 와서 느꼈던 것처럼 말이다. 이곳에서 공부하며 항상 이방인이었다. 과에서 영어를 제일 못하는 나이 많은 유일한 동양인! 꼬리표처럼 따라다니는 나의 정체성이었다. 뭐라 하는 이 없어도 늘 기가 죽어 눈치를 봐야 했다. 내가 그랬듯 남들 눈치 보며 교회에 앉아 있었을 엄마를 생각하니 마음이 울컥했다. 더군다나 사돈이라면 엄마를 까막눈이라고 늘 얕잡아 보던 이가 아닌가? 막내딸을 살리고자 했을 엄마의 간절한 발걸음이 꼭꼭 닫아뒀던 마음에 종을 울렸다. 그렇게 며칠이 지났다. 유치원에 다니는 작은아이가 풍선을 가지고 왔다. 걷지는 못해도 앉을 수 있게 된 나를 보며 아이는 풍선을 가지고 놀자고 보챘다. 짠한 마음에 아이와 놀아주려 애써 침대 벽에 등을 기대고 앉았다. 아이는 내 주위를 빙빙 돌며 조심스럽게 풍선을 날려 보냈다. 나도 가만가만 풍선을 천장으로 올려보냈다. 아이가 맑게 웃으며 풍선을 따라갔다. 나도 저 풍선처럼 날 수 있을까? 풍선이 되고 싶어졌다. 몇 달이 지날 무렵, 학교에서 일찍 돌아온 남편이 따뜻한 물을 대야에 받아오더니 수건으로 내 온몸을 닦아줬다. 그의 손길이 아깝도록 정성스러워 목이 메었다. 그동안 나를 매몰차게 대한 미안함이 그의 손이 지나는 자리마다 깊게 묻어났다. 수술로 핏기 없이 늘어진 내 다리를 그는 강아지처럼 핥으며 슬퍼했다. 그는 수척해진 내 몸을 애무하며 그동안 못다 한 사랑을 표현했다. 구구절절 말하지 않아도 그가 얼마나 힘들고 마음 아파하고 있었는지 온몸으로 느낄 수 있었다. 따스한 초가을 햇살을 덮고 우리는 서로를 보듬었다. 엄마와 가족들의 사랑 때문이었을까? 아니면 더 이상의 자책과 눈물과 변명이 남아있지 않아서였을까? 원망과 상처로 굳게 닫혀 있던 마음의 빗장이 스르르 열리기 시작했다.

 "엄마 조금만 더! 조금만 더 걸어봐".
 "헉헉헉, 휴우."
 작은아이랑 큰아이가 목발을 짚고 겨우 한 발씩 걸음을 떼기 시작한 나를 응원 해줬다. 아이들이 돌 무렵이 되었을 때, 한발 두발 세상을 향해 서툰 걸음마를 시작하던 때가 겹쳤다. 아이들은 걷다 넘어지기를 반복했고, 웃고 울기를 거듭했다. 나도 나의 세상을 향해 힘들지만 한 발씩 조심스레 발을 내디뎠다. 양손에 목발을 짚고 한발엔 터미네이터 같은 보조 부츠를 신고 남들 앞에 나서는 게 어색하고 낯설었다. 이웃 들은 반년 만에 나타나 어설프게 절름거리며 걷는 나를 신기한 듯 쳐 다보며 웃어줬다. 연민에 찬 그들의 웃음이 바늘에 찔린 듯 따끔했지 만 견딜만했다. 걸음을 뗄 때마다 수술을 견딘 왼쪽 다리에 강력한 전 기가 도는 듯 찢어질 듯한 통증이 찾아왔다. 몇 걸음을 떼면 온몸에 땀 이 나고 숨이 찼다. 하지만 고통조차 반가웠다. 늦가을 선선한 바람이 땀에 흠뻑 젖은 내 몸을 닦아줬다. 걷고 또 걸었다. 지쳐 더 이상 걸을 수 없을 때까지 걷고 밤에는 쓰러져 잤다. 내게 걸음을 떼는 건 잃어버 린 날개를 찾을 수 있는 유일한 길이었기 때문에. 목발의 지지대가 닿 은 어깨 안쪽에 피멍이 들더니 굳은살이 생겼다. 그럴수록 걸음은 더 빨라지고 견고해졌다. 걷는 게 조금 익숙해졌을 때 수영장을 다니기 시작했다. 물리치료사에게 배운 대로 매일매일 물속에서 다리를 단련 시켰다. 그렇게 몇 달이 지난 어느 날, 겨드랑이 굳은살 안쪽이 며칠째 근질거렸다. 몰랐다. 날개가 다시 돋으려는 것인 줄. 새롭게 시작할 힘 이 생겼다. 교사 말고 내 몸으로 잘할 수 있는 일이 뭘까? 전에 다녔던 대학에 전화해 입학 상담사와 예약을 했다. 상담사와 만나기로 한 전 날, 걱정과 설레임에 잠을 이룰 수 없었다.

"제가 갈 수 있는 과가 뭐가 있을까요?"

상담사를 만나 갈 수 있는 과들을 알아보았다. 나의 상황을 설명한 뒤 최대한 맞는 커리어를 할 수 있는 전공을 하고 싶다고 말했다. 상담사는 몇 가지 과들과 가능한 커리어들을 설명해 줬다. 경리직, 병원 사무직, 그리고 소셜 워커 등의 프로그램을 소개해 줬다. 소셜 워커라는 말을 듣자마자 병원에서 만났던 소셜 워커가 떠올랐다. 궁금한 마음에 입학 자격과 어떤 커리어가 가능한지 물어보았다. 상담사가 소셜 워커 프로그램을 하면 카운슬러나 클리니션으로 커뮤니티 프로그램이나 병원에서 일할 수 있다고 설명 해 줬다. 주로 앉아서 하는 커리어라 내게 잘 맞을 거라는 친절한 설명과 함께. 불현듯 병원에서 내게 빛이 되어줬던 소셜 워커가 떠올랐다. 소셜 워커가 되겠다는 생각을 한 번도 해보지 않았던 내가 운명처럼 간절한 바람이 생겼다. 그녀처럼 나도 도움이 절실한 누군가에게 따뜻한 위로가 되고 싶어졌다. 목표가 생기니 더 이상 비참하거나 슬프지 않았다. 집으로 돌아오는 길, 저만치 겨울이 달아나고 있었다. 봄을 재촉하는 바람이 온몸을 포근하게 감쌌다.

"내 삶이 끝난 것 같아요. 내가 여기서 뭘 더 할 수 있을까요?"
담담해서 더 슬픈 고객의 목소리가 상담실에 울려 퍼졌다. 금세라도 눈물이 쏟아질 것 같은 고객의 파란 눈동자를 지그시 바라봤다. 그 얼굴이 낯설지 않았다. 오래전 내 모습이 투영되었다. 돌아보니 참 먼 길을 왔다. 세상 탓하며 자기 연민으로 주저앉고 싶었던 내가 전문대, 대학, 대학원을 마치고 지금은 아픈 이들을 치료해 주는 일을 하고 있다. 수술 의사의 예상과 달리 재수술도 하지 않았다. 그동안 하루도 거르지 않고 물속에서 다리를 단련시킨 덕분이다. '추락하는 것엔 날개가 있다.' 오래전 읽었던 이문열 작가의 소설이다. 바닥 끝까지 추락했을 때 알았다. 바닥은 끝이 아니라 치고 날아오를 수 있는 시작인 것을. 한계를 맞닥뜨리니 한계 밖의 세상이 궁금해졌고, 그 한계를 극복할 힘이 나에게 있다는 걸 깨달았다. 난 결국 한계를 넘어 세상 밖으로 날아오를 수 있었다. 눈비에 젖고, 휘몰아치는 폭풍에 상처를 입기도 했다. 하지만 그런 지난한 시간을 겪으며 견고해졌다. 지금 난 새로운 날개를 펴보려 한다. 주위에서 나이 오십에 뭘 더하려 하냐고 하지만, 오십이란 나이가 내게는 또 다른 시작이다. 내 미래의 삶을 비행하게 해 줄 작가라는 날개를 작년부터 손질하고 있다. 주변인들은 젊지 않은 나이를 탓하며 '이 나이에 뭘 더해' '이 정도 했으면 됐지'라는 생각들로 오십 인생에 자기 한계를 만들고 있다. 하지만 난 이제부터 시작이다. 남들이 한계를 만드니 한계 밖이 날고 싶어졌다. 겨드랑이가 근지럽다.

10월의 벚꽃처럼

발행 2024년 5월 10일

지은이 윤, 젊은공원, 정승헌, 지선, 장로사

라이팅리더 현해원

디자인 윤소정

펴낸이 정원우

펴낸곳 글ego

출판등록 2019.06.21 (제2019-000227호)

주소 서울시 강남구 강남대로 118길 24 3층

이메일 writing4ego@gmail.com

홈페이지 http://egowriting.com

인스타그램 @egowriting

ISBN 979-11-6666-485-4

© 2024. 윤, 젊은공원, 정승헌, 지선, 장로사

이 책은 저작권법에 따라 보호받는 저작물이므로 무단 전재 및 복제를 금합니다.